TRADITIONSGESCHICHTLICHE UNTERSUCHUNGEN ZUR PAULINISCHEN PNEUMATOLOGIE

VAN GORCUM'S THEOLOGISCHE BIBLIOTHEEK

JOHANNES SIJKO VOS

TRADITIONSGESCHICHTLICHE UNTERSUCHUNGEN ZUR PAULINISCHEN PNEUMATOLOGIE

1973

VAN GORCUM & COMP. B.V., ASSEN, NIEDERLANDE

ISBN 90 232 1084 0

23/13
V 92

200641

Druck und Satz: Van Gorcum, Assen

ERNST LEUZE ZUGEEIGNET

VORWORT

Dieses Buch lag im Sommer 1973 der Theologischen Fakultät der Rijksuniversiteit Utrecht als Dissertation vor.

Drei meiner Lehrer, die in besonderer Weise mit dieser Arbeit verbunden sind, möchte ich an dieser Stelle nennen.

Herrn Prof. Dr. W. C. van Unnik danke ich für die Freundlichkeit und Geduld, mit der er die Arbeit von Anfang an begleitet hat.

Außerordentlich viel verdanke ich Herrn Prof. D. E. Käsemann. Ohne die wissenschaftliche und persönliche Förderung, die er mir als seinem Studenten und seinem Assistenten in Tübingen zuteil werden ließ, wäre diese Arbeit nicht denkbar.

Herrn Prof. Dr. J. L. Martyn vom Union Theological Seminary in New York gilt mein Dank für jegliche Hilfe während meines amerikanischen Studienaufenthaltes.

Nicht unerwähnt lassen möchte ich meine Frau. Sie hat das Deutsche durchgesehen und die Arbeit auch sonst kritisch begleitet.

Dem Musiker Ernst Leuze, der während der Entstehung dieser Arbeit das Pneuma auch aus anderer Richtung wehen ließ, ist dieses Buch gewidmet.

J.S.V.

INHALTSVERZEICHNIS

1. KAPITEL.
DIE EIGENART DER PAULINISCHEN PNEUMATOLOGIE IN DER FORSCHUNG

Der Pneumabegriff bei Paulus, so schreibt H. J. Holtzmann in seinem „Lehrbuch der Neutestamentlichen Theologie"[1], ist der „umfassendste und zugleich schwierigste, variabelste Begriff[2], den das paulin. Denken erzeugt hat". Denn: „so nachweisbar seine Faktoren im alttest. und jüd. Gedankenkreis einerseits, im hellenistischen andererseits immer sein mögen: das Produkt weist ein völlig singuläres Gesicht auf".

Eingehend hat zum ersten Mal vor hundert Jahren O. PFLEIDERER die Frage nach der Eigenart der paulinischen Pneumatologie und deren Genesis gestellt. In seinem 1873 erschienenen Buch „Der Paulinismus" hebt er den paulinischen Pneumabegriff klar von dem der vorpaulinischen Gemeinde ab. War für das früheste Christentum das Pneuma ein donum superadditum der messianischen Zeit, eine supranaturale Kraft, welche zu außerordentlichen Wundertaten befähigt, so begreift Paulus nach Pfleiderer das Pneuma als das stetig dem Menschen innewohnende Prinzip des christlichen Lebens. „Das πνεῦμα wurde bei Paulus aus einem abstrakt supranaturalen, ekstatisch-apokalyptischen Prinzip zum immanenten religiös-sittlichen Lebensprinzip der erneuerten Menschheit, zur Natur der καινὴ κτίσις"[3]. Dieses neue Pneumaverständnis erklärt Pfleiderer aus dem genuin paulinischen Glaubensbegriff. Aufgrund seiner eigenen religiösen Erfahrung, seines Bekehrungserlebnisses, versteht Paulus den Glauben nicht nur als vertrauensvolle Hingabe, sondern auch als mystische Vereinigung mit Christus. Ist nun das Pneuma die Substanz und das personbildende Prinzip des Messias – auch diese Vorstellung gründet nach Pfleiderer im religiösen Erlebnis des Paulus –, so ist es natürlich, daß in

---

[1] Bd.II, 2.Aufl. hg.v. A. Jülicher und W. Bauer, 1911, S.155.
[2] Original im Dativ.
[3] a.a.O. S.200; vgl. auch S.19ff.187f.199ff.

1

dieser mystischen Vereinigung das Pneuma das Prinzip des neuen Personlebens des Glaubenden wird[4].

Später, in der ersten Auflage seines Buches „Das Urchristentum" (1887)[5] und in der zweiten Auflage seines „Paulinismus" (1890)[6], nennt Pfleiderer als zweite Wurzel des paulinischen Pneumabegriffes die hellenistische, bzw. die hellenistisch-jüdische Theologie. Wesentlich zurückhaltender jedoch zeigt sich Pfleiderer demgegenüber in der zweiten Auflage des „Urchristentums" (1902)[7].

Die Meinung, daß die Vorstellung vom Geist als dem Prinzip des christlichen Lebens ein paulinisches Proprium sei, hatte schon vorher B. WEISS vertreten[8]. Von einem Einfluß des hellenistischen Denkens, allerdings weniger in bezug auf den spezifischen Pneumabegriff als vielmehr auf den Gegensatz Fleisch-Geist und die damit verbundene eigenartige Soteriologie bei Paulus, hatten schon vorher C. HOLSTEN[9] und H. LÜDEMANN[10] gesprochen.

Gegen beides, die Unterscheidung zwischen dem paulinischen und dem vorpaulinischen Pneumabegriff und die Annahme hellenistischen Einflusses auf die paulinische Denkweise, wandte sich dann H. H. WENDT in einer Arbeit über „Die Begriffe Fleisch und Geist im biblischen Sprachgebrauch" (1878) und im Anschluß an ihn J. GLOËL in seinem Buch „Der Heilige Geist in der Heilsverkündigung des Paulus" (1888). Nach Wendt und Gloël werden schon im Alten Testament dem göttlichen Geist ethisch-religiöse Wirkungen zugeschrieben und für sie besteht kein Grund zur Annahme, daß es sich in der urchristlichen Gemeinde anders verhalten habe[11].

Dagegen nahm H. GUNKEL in seiner im gleichen Jahr wie Gloëls Buch erschienenen Arbeit „Die Wirkungen des heiligen Geistes nach der populären Anschauung der apostolischen Zeit und nach der Lehre des Apostels Paulus" (1888[1]; 1909[3]) Pfleiderers

---

[4] a.a.O. S.16ff.141.162ff.200ff.
[5] Dort S.257.
[6] Dort S.30.189f.211.
[7] Dort Bd.II, S.263ff.
[8] Lehrbuch der Biblischen Theologie des Neuen Testaments, 1868, S.347f.
[9] Die bedeutung des wortes σάρξ im lehrbegriffe des Paulus (1.Aufl.1855), in: ders., Zum Evangelium des Paulus und des Petrus, 1868, S.365-447.
[10] Die Anthropologie des Apostels Paulus und ihre Stellung innerhalb seiner Heilslehre, nach den vier Hauptbriefen dargestellt, 1872.
[11] Wendt, a.a.O. S.139-153; Gloël, a.a.O. S.237ff.

Unterscheidung der vorpaulinischen und paulinischen Anschauung auf und entwickelte sie weiter.

Nach der populären Anschauung, d.h. der auf jüdischem Boden gewachsenen Anschauung der vor- und nebenpaulinischen Gemeinde, war, so Gunkel, der Geist „die übernatürliche Kraft Gottes, welche im Menschen und durch Menschen Wunder wirkt"[12]. Nicht das ethisch oder religiös Wertvolle, sondern das Unerklärbare und Gewaltige galt als Symptom des Pneumatischen. Die vorpaulinische Gemeinde betrachtete den erhöhten Christus als Geber des Pneumas und sah in den Wunderwirkungen des Geistes die eschatologische Hoffnung verbürgt.

Paulus steht nach Gunkel auf dem Boden der populären Anschauung, doch unterscheidet er sich von ihr in vierfacher Hinsicht: a. Die Wunderwirkungen des Geistes haben für Paulus eine ethische Bedeutung. b. Er betrachtet nicht nur die außergewöhnlichen Wirkungen, sondern das gesamte christliche Leben als vom Pneuma gewirkt. c. Er versteht demzufolge das ganze christliche Leben als Bürgen für das Eschaton und kann sogar im Geist das ewige Leben im Vollsinne schon als gegenwärtig betrachten. d. Für ihn gilt nicht nur, daß der Geist von dem erhöhten Christus gesandt, sondern auch, daß er mit Christus identisch ist. Sämtliche Wirkungen des Geistes kann Paulus auch als Wirkungen Christi beschreiben. Dennoch kann man nach Gunkel nicht sagen, daß bei Paulus die Pneumatologie von der Christologie abhängig ist. Die Christologie bildet eher eine Parallele zur Pneumatologie. „Beide Lehren schließen sich nicht aus, aber jede hätte für sich allein genügt"[13].

Die gegenüber der populären Anschauung neue Geistlehre des Paulus läßt sich nun nach Gunkel weder aus dem Alten Testament, noch aus dem Hellenismus ableiten, sondern ausschließlich aus dem eigenen Bekehrungserlebnis des Paulus. Die erste pneumatische Erfahrung des Paulus war ja sowohl eine Erfahrung Christi als auch ein die ganze Existenz betreffendes Ereignis.

Die Arbeit Gunkels wurde von der damaligen Forschung positiv aufgenommen. Im allgemeinen kritisierte man jedoch, Gunkel habe die Originalität des Apostels überschätzt, denn für die Anschauung vom Geist als Prinzip des sittlich-religiösen Lebens

---

[12] a.a.O. S.25.   [13] a.a.O. S.100.

3

gäbe es Parallelen im Alten Testament, im hellenistischen Judentum und im vorpaulinischen Christentum[14]. Die Berechtigung dieser Kritik unterstrich Gunkel selber im Vorwort zur zweiten Auflage seines Buches (1899)[15]. Eine Frage, die Gunkel nur am Rande berührt hatte, schnitt E. SOKOLOWSKI in seiner Arbeit „Die Begriffe Geist und Leben bei Paulus in ihren Beziehungen zu einander" (1903) an, nämlich wie weit sich genau die ethisch-religiöse Wirkung des Geistes erstrecke. Die allgemeine Tendenz in der bisherigen Forschung ging dahin, daß man den Geist zwar uneingeschränkt als Prinzip des sittlichen Lebens betrachtete, seine religiöse Wirkung aber auf das subjektive Heil beschränkte, auf die Vergewisserung des objektiven, mit der Rechtfertigung bzw. mit der Adoption geschenkten Heils. Die Gabe des Geistes ließ man entweder zeitlich oder logisch auf die Rechtfertigung folgen[16]. Dagegen stellte Sokolowski die These: für Paulus ist der Geist der Autor nicht nur des ganzen ethischen, sondern auch des ganzen religiösen Lebens. Das objektive und das subjektive Heil, Rechtfertigung und Glaube eingeschlossen, sind beide für Paulus geistgewirkt[17]. Den Ursprung dieser Anschauung sah Sokolowski einerseits im

[14] So z.B. H. Weinel, Die Wirkungen des Geistes und der Geister im nachapostolischen Zeitalter bis auf Irenäus, 1899, S.150 Anm.; W. Bousset in seiner Besprechung von Weinels Buch, GGA 163, 1901, S.753-776, dort S.759ff; Weiteres dazu bei W. Schrage, Die konkreten Einzelgebote in der paulinischen Paränese, 1961, S.72.
Uneingeschränkt wurde Gunkels Buch dagegen gelobt von O. Pfleiderer, Paulinismus, 2.Aufl., S.201 Anm., 206f Anm.
[15] Dort S.XI.
[16] B. Weiß, Lehrbuch der Biblischen Theologie, 1903[7], S.320ff.324ff, unterscheidet zwischen dem objektiven Vorgang der Rechtfertigung und der subjektiven Vergewisserung des Heils bzw. der Gabe des Geistes als Prinzip des neuen Lebens als zwischen zwei aufeinanderfolgenden Gnadentaten Gottes. Pfleiderer, Paulinismus, 1.Aufl., S.210f, läßt die reale Pneuma-Gerechtigkeit mit der idealen Glaubensgerechtigkeit zeitlich im Akt des Glaubens zusammenfallen. Für ihn kommt aber der letzteren logische Priorität zu. Die religiöse Bedeutung des Geistes besteht ja darin, als Kraft des subjektiven Lebens die objektive Wahrheit der Kindschaft zu bezeugen (a.a.O. S.187ff). Lüdemanns Versuch, die ethische Linie in der paulinischen Erlösungslehre ganz von der religiösen zu trennen, hält Pfleiderer für „einen wunderlichen Fehlgriff" (a.a.O. S.210 Anm.).
[17] a.a.O. S.67ff.

Alten Testament, andererseits in der persönlichen Erfahrung des Paulus[18].

Wesentlich neue Impulse empfing die Paulusforschung durch die Neuentdeckung der hellenistischen Religiosität. Schon in seiner Besprechung von Weinels Buch hatte w. BOUSSET auf die Bedeutung der hellenistischen Religionen für das Verständnis des frühchristlichen Pneumatismus hingewiesen[19]. In seinem zunächst 1913, in zweiter Auflage posthum 1921 erschienenen Buch „Kyrios Christos" macht er diese Erkenntnis für die paulinische Pneumatologie fruchtbar. Ähnlich wie Gunkel unterscheidet auch Bousset zwischen der populären und der paulinischen Anschauung vom Geist: War für die populäre Anschauung der Geist die übernatürliche Macht, die vor allem im Gottesdienst Wunder und Ekstase bewirkt, so ist für Paulus die Anschauung charakteristisch, daß im Geist das ganze christliche Leben gründet. Die Formeln „in Christus" und „im Geiste" sind bei Paulus auswechselbar[20]. In der historischen Einordnung der paulinischen Anschauung weicht Bousset aber radikal von Gunkel ab. Als entscheidendes Zwischenglied zwischen Paulus und der palästinensischen Urgemeinde sieht er die hellenistische Gemeinde[21]. In Auseinandersetzung mit den heidnischen Kulten wurde nach Bousset in der hellenistischen Gemeinde die eschatologische Erwartung Jesu als des Messias-Menschensohnes aus der palästinensischen Gemeinde umgestaltet zu einer mystisch-kultischen Verehrung des gegenwärtigen Kyrios. Als im Kult in Erscheinung tretende Größen rückten hier der Kyrios und das Pneuma eng zusammen. Anknüpfend an die Anschauung der hellenistischen Gemeinde, entwickelte Paulus nach Bousset den Christusglauben vollends zu einer supranaturalen Erlösungslehre, indem er aus der hellenistischen Mystik

---

[18] a.a.O. S.195ff.223ff.
[19] GGA 163, S.762ff.
[20] Das Urteil R. Bultmanns, Zur Geschichte der Paulus-Forschung, ThR, NF 1,1929, S.26-59, dort S.49, Bousset übersehe, daß durch das Pneuma nach Paulus der ganze Mensch erneuert werde, daß auch sein Wandel ein pneumatischer sei und daß die Liebe als Frucht des Pneumas gelte, ist für die zweite Auflage von „Kyrios Christos" nicht zutreffend; vgl. dort S.112.
[21] Unabhängig von Bousset postulierte auch W. Heitmüller, Zum Problem Paulus und Jesus, ZNW 13, 1912, S.320-337, die entscheidende Bedeutung der hellenistischen Gemeinde für das Verständnis des Paulus.

und Gnosis die metaphysisch-dualistische Antithese von Geist und Fleisch und die Anthroposspekulation, die Vorstellung des Erlösers als Pneuma-Anthropos, aufnahm.

Was Gunkel als spezifisch paulinisch, in der religiösen Erfahrung des Apostels begründet, betrachtete, die Heilsbedeutung des Geistes und die enge Verbindung von Christologie und Pneumatologie, erklärt Bousset als Übernahme hellenistischer Vorstellungen. Als spezifisch paulinisch dagegen betrachtet er die Umgestaltung der Kult- und Gemeindemystik zu einer individuellen Mystik und die Verdrängung der kultisch-sakramentalen Elemente durch eine geistig-personelle Frömmigkeit[22].

Einen weitgehenden Einfluß der hellenistischen Mystik und Gnosis auf Begrifflichkeit und Bewußtsein des Paulus als Pneumatikers, auf seine Vorstellung von Christus als Pneuma-Anthropos und von der Erlösung als einer pneumatischen Verwandlung nahm auch der Philologe R. REITZENSTEIN an in seinem Buch „Die Hellenistischen Mysterienreligionen" (1910[1]; 1927[3]), ohne allerdings die Einzelergebnisse für ein Gesamtbild des paulinischen Denkens und dessen Stellung im Rahmen des Urchristentums auszuwerten.

Unberührt von den Ergebnissen der religionsgeschichtlichen Forschung ist die Darstellung der paulinischen Pneumatologie von FR. BÜCHSEL in seinem Buch „Der Geist Gottes im Neuen Testament" (1926). Höchstens darin trifft sich Büchsel mit der Religionsgeschichtlichen Schule, daß nicht die Pneumalehre, sondern die pneumatische Frömmigkeit des Apostels Gegenstand seiner Untersuchung ist. Paulus war „weniger Theologe als Christ und Apostel"[23]. Die Vorstellungen, die Paulus vom Geist hat und die systematisch zu ordnen oder begrifflich klar zu fassen er nach Büchsels Meinung versäumt hat, stehen nicht in einem wesentlichen Zusammenhang mit seiner Frömmigkeit. Wenn man Büchsels Meinung wiedergeben will, dann ist weiter zu berücksichtigen, daß Büchsel, wie schon R. Bultmann in seiner eingehenden Rezension des Buches bemerkte[24], nicht nur die neutestamentlichen Aussagen über das Pneuma interpretiert, sondern auch von einem mitgebrachten,

---

[22] a.a.O. S.104ff.
[23] a.a.O. S.396.
[24] ThLZ 54,1929, Sp.196-203, dort Sp.196f.

unklaren Geistbegriff aus verschiedenartige im Neuen Testament bezeugte Phänomene als „pneumatisch" deutet. Die Eigenart der paulinischen Pneumatologie besteht nach Büchsel darin, daß Paulus das Christentum insgesamt als pneumatische Frömmigkeit versteht[25]. Pneumatisch ist die paulinische Frömmigkeit darin, daß sie eine Frömmigkeit der vollendeten Gottes- und Christusgemeinschaft ist. Im Geist ist der Christ unmittelbar zu Gott und unmittelbar, von innen her, von Christus ergriffen. Der religiöse Besitz hat immer eine pneumatische Seite. Versöhnung, Rechtfertigung und Gotteskindschaft sind pneumatisch, und zwar insoweit, als der Mensch darin nicht nur von außen, sondern auch von innen her erfaßt wird[26]. Dieser Frömmigkeit enspricht, daß Paulus auch sein Apostolat und das Leben der von ihm gegründeten Gemeinden ganz als pneumatisch wertet.

Weil Paulus das ganze Christentum als pneumatische Frömmigkeit versteht, ist er nach Büchsel gezwungen, stärker als die Gemeinde vor ihm die sittliche Bedeutung des Geistes zu betonen. Zu diesem Zweck bindet er den Geist an Christus, entwickelt die Antithese Fleisch-Geist und drängt die ekstatischen Wirkungen unter den pneumatischen Gaben zugunsten der Liebe zurück.

Beides zusammen, der Gedanke, daß das ganze Christentum pneumatische Frömmigkeit sei, und die starke Betonung der Heiligkeit des Geistes, ist nach Büchsel original paulinische Anschauung. Wohl kannte man vor Paulus, vom Alten Testament bis in die hellenistische Gemeinde den Geist als Quelle religiöser und sittlicher Wirkungen, vielleicht sogar als Prinzip des ganzen christlichen Lebens, nirgends jedoch geschah das in der Form, daß dabei die Gefahr des Nomismus einerseits und des Enthusiasmus andererseits abgewehrt wäre. Nur durch seine eigentümliche Pneumatologie war es Paulus möglich, die Freiheit vom Gesetz zu behaupten, ohne Religion und Moral auseinanderfallen zu lassen[27].

[25] a.a.O. S.448.
[26] a.a.O. S.303.305ff.427f. Bezeichnend für Büchsels eigenes Geistverständnis ist die Art, in der er das Verhältnis von Geist und Rechtfertigung bei Paulus sieht. Pneumatisch ist, so sagt er, die Rechtfertigung nicht als forensischer Akt Gottes, sondern nur insoweit der Rechtfertigungsglaube geistgewirkt ist. Geistgewirkt ist dieser Glaube aber insofern, als er nicht nur das vergebende Urteil anerkennt, sondern auch in der Anerkennung der Macht und Herrlichkeit Gottes von dieser erfüllt wird.　　[27] a.a.O. S.242ff. 264ff. 440ff.

In scharfem Gegensatz zur Religionsgeschichtlichen Schule entwickelte A. SCHWEITZER in seiner Untersuchung „Die Mystik des Apostels Paulus" (1930) seine Auffassung der paulinischen Theologie und Pneumatologie. Auch für Schweitzer ist Paulus im wesentlichen ein Mystiker. Gegen die Deutung der Religionsgeschichtlichen Schule unterstreicht aber er den theologischen Charakter dieser Mystik und die Kontinuität der paulinischen Lehre zur Lehre Jesu und der Urgemeinde.

Die Urgemeinde erwartete nach Schweitzer die Erlösung, den Anbruch des übernatürlichen Gottesreiches, erst von der Zukunft. Für ihren unreflektierten Glauben war die Gabe des Geistes nach dem Muster von Joel 3 eine Wundergabe, die, noch zur natürlichen Weltzeit gehörend, die Nähe des eschatologischen Reiches ankündigte.

Erst der Denker Paulus brachte die Erwartung des zukünftigen Reiches mit dem Ereignis des Todes und der Auferstehung Jesu zusammen, und zwar in dem Sinne, daß er mit diesem Ereignis die eschatologische Heilszeit anfangen ließ. Für Paulus haben die Getauften schon in der Gegenwart in verborgener Weise teil an der eschatologischen Erlösung, an der Auferstehungsleiblichkeit und der Gemeinschaft mit dem Messias. In diesem Lichte kann für Paulus die Gabe des Geistes nicht bloß Wunderkraft und Vorzeichen des Eschatons sein, sondern sie muß in Verbindung stehen mit dem Ereignis des Todes und der Auferstehung Jesu und mit der eschatologischen Seinsweise der Getauften. Er versteht den Geist als Geist Christi, entwickelt die Lehre von Christus als dem pneumatischen Adam und läßt so den Geist die eschatologische Erlösung vermitteln[28]. Ist der Geist die Macht des eschatologischen Lebens, so ist notwendigerweise auch der ethische Wandel in ihm begründet[29].

Die Vorstellung vom Geist als Geist Christi, vom Geist als Kraft des eschatologischen Lebens im physischen und ethischen Sinne, ist nach Schweitzer nicht das Produkt einer Hellenisierung, sondern das Produkt des Denkers Paulus, der die überkommenen jüdisch-eschatologischen Vorstellungen in der durch die Tatsache des Todes

[28] a.a.O. S.159ff.
[29] a.a.O. S.323.

und der Auferweckung Christi geschaffenen Situation neu interpretierte.

Ebenfalls im ausdrücklichen Gegensatz zur Religionsgeschichtlichen Schule machte 1948 W. D. DAVIES in seiner Arbeit „Paul and Rabbinic Judaism" den Versuch, sämtliche Elemente der paulinischen Pneumatologie, die eschatologische, ekklesiologische and ethische Bedeutung des Geistes, die Bindung des Geistes an Christus ebenso wie den Dualismus, aus dem Alten Testament und dem rabbinischen Judentum herzuleiten. Davies schildert Paulus als einen christlichen Rabbi, für den die eschatologische Heilszeit angebrochen ist, in der gemäß der Verheißung Christus die neue Tora bildet und zur gleichen Zeit der Geist und das Gesetz eine Einheit bilden[30].

In seiner „Theologie des Neuen Testaments" (1953[1]; 1968[6]) stellt sich R. BULTMANN einerseits auf die Seite der Religionsgeschichtlichen Schule; auch er betrachtet die von der hellenistischen Mystik und Gnosis beeinflußte Anschauung der hellenistischen Gemeinde als entscheidendes Zwischenglied zwischen Paulus und der palästinensischen Urgemeinde. Andererseits aber geht er darin über seine Vorgänger hinaus, daß er versucht, mittels der Methode der existentialen Interpretation die theologische Eigenart des Paulus scharf herauszustellen.

Die Urgemeinde verstand nach Bultmann den Geist als Gabe der Endzeit. Als seine Wirkungen kannte sie Prophetie, Wundertaten und das rechte Wort vor Gericht in Verfolgungszeiten[31].

Auch für die hellenistische Gemeinde war der Geist als Macht des Wunderbar-Göttlichen eine eschatologische Gabe. Die Skala der wunderbaren Geisteswirkungen reichte in ihr weiter als in der Urgemeinde. In ihrer Vorstellung vermischten sich alttestamentlich-jüdische mit hellenistischen Elementen. Der wesentliche Unterschied zur Vorstellung der Urgemeinde ist aber darin zu sehen, daß die hellenistische Gemeinde die Gabe des Geistes mit der Taufe verband und sie als bestimmende Macht der christlichen Existenz jedem Einzelnen zukommen ließ. Für die hellenistische Gemeinde – und hier zeigt sich eine Verwandtschaft zur helle-

---

[30] a.a.O. (rev.ed., Harper Torchbooks 146, 1967) S.177-226.
[31] a.a.O. S.43f.

nistischen Mystik und Gnosis[32] – war der Geist die göttliche Lebenskraft, die von der Macht des Todes befreit und den Menschen für das ewige Leben versiegelt.

Charakteristisch für die Anschauung der hellenistischen Gemeinde ist nach Bultmann eine gewisse Unausgeglichenheit: der Geist ist zwar dauernder Besitz eines jeden Christen, er erweist sich aber auch in besonderen Situationen und an besonderen Personen; er ist zwar die Grundlage der christlichen Existenz, zur gleichen Zeit aber gilt, daß er erst auf ein geeignetes Verhalten des Menschen hin verliehen wird. Diese Unausgeglichenheiten spiegeln nach Bultmann einen noch unreflektierten Sachverhalt: zum einen die Tatsache, daß die Getauften zwar schon jetzt von der Zukunft bestimmt werden, die Vollendung aber noch nicht erreicht haben, zum anderen die Tatsache, daß der Geist zwar die Existenz bestimmt, jedoch nicht mechanisch wirkt. Die Gefahr der Anschauung der hellenistischen Gemeinde sieht Bultmann vor allem darin, daß dort, wo der Geist als eschatologische Lebensmacht verstanden ist, zur gleichen Zeit aber die außerordentlichen Wirkungen oder die psychischen Erlebnisse als das entscheidende Merkmal des Geistbesitzes angesehen werden, die christliche Existenz ungeschichtlich nach dem Muster des hellenistischen „göttlichen Menschen" oder im Sinne der Mystik aufgefaßt werden kann.

Die geschichtliche Stellung des Paulus ist nach Bultmann dadurch gekennzeichnet, daß er die in der Anschauung der hellenistischen Gemeinde wirksamen theologischen Motive gedanklich weiterentwickelt und die noch offenen Fragen zur Entscheidung geführt hat.

Auch für Paulus ist das Pneuma eschatologische Gabe. Mit dem populär-urchristlichen Verständnis versteht er es als Wundermacht und mit der hellenistischen Gemeinde als Lebenskraft. Das magische und mystische Verständnis des Geistes wehrt er aber ab, indem er zunächst das vom Pneuma geschenkte eschato-

---

[32] In dem betreffenden Abschnitt seiner „Theologie" (S.155-166) ist Bultmann in diesem Punkt allerdings zurückhaltend. Vgl. jedoch a.a.O. S.349; ders., Das Problem der Ethik bei Paulus (ZNW 23,1924), in: ders., Exegetica, hg.v. E. Dinkler, 1967, S.36-54, dort S.44ff; ders., Art. ζάω κτλ. E,ThW II, dort S.868; ders., Das Urchristentum im Rahmen der antiken Religionen (1949¹), rowohlts deutsche enzyklopädie 157/158, 1963, S.190.

logische Leben an das Heilsereignis des Todes und der Auferstehung Christi bindet, sodann aber auch den sittlichen Wandel auf den Geist zurückführt. Die positive Kehrseite der im Geist geschenkten Freiheit von Sünde und Tod ist somit für Paulus echtes geschichtliches Leben, ein Leben des wollenden Ich, in dem Indikativ und Imperativ eine Einheit bilden und das offen ist für die Zukunft. Indem Paulus in diesem Sinne Pneuma wesentlich als Macht der Zukünftigkeit versteht, antwortet er auf die in der hellenistischen Gemeinde noch offenen Fragen nach dem Verhältnis von Gegenwart und Zukunft, Freiheit und Forderung[33].

In Ausgangspunkt und Anliegen der Interpretation trifft sich E. SCHWEIZER in seiner Darstellung des paulinischen Pneumabegriffes im Theologischen Wörterbuch (1957)[34] mit Bultmann.

Die Eigenart des paulinischen Pneumabegriffes ist nach Schweizer entscheidend davon geprägt, daß bei ihm die alttestamentliche und die hellenistische Linie zusammenlaufen.

Auf der alttestamentlichen Linie, von der die synoptischen Evangelien und die Apostelgeschichte im wesentlichen geprägt sind – und die deshalb von Schweizer dem Paulus vorgeordnet werden[35] –, ist der Geist nicht heilsnotwendig, sondern Kraft zu zusätzlichen Taten. Der Geist bewirkt hier nicht eine neue eschatologische Existenz, sondern ist Zeichen für das noch ausstehende Eigentliche. Ungeklärt ist hier denn auch das Verhältnis von Pneumatologie und Christologie.

Auf der hellenistischen oder gnostischen Linie dagegen ist mit dem Geist die Himmelswelt selbst gegeben, denn der Hellenist kennt nicht das Schema der sich ablösenden Äonen, sondern nur das der übereinander liegenden Sphären, und zudem denkt er Kraft immer substantiell. Auf der hellenistischen Linie gilt weiter, daß man den Geist nicht anders haben kann als im Anschluß an den

---

[33] Theologie des NT, S.332-341; vgl. Urchristentum, S.190f.

[34] ThW VI, S.413-436; vgl. ders., Geist und Gemeinde im Neuen Testament und heute, ThEx 32, 1952; ders., Gegenwart des Geistes und eschatologische Hoffnung bei Zarathustra, spätjüdischen Gruppen, Gnostikern und den Zeugen des Neuen Testaments (Festschrift C. H. Dodd, 1956), in: ders., Neotestamentica, 1963, S.153-179; ders., Esprit et communauté chez Paul et ses disciples, in: L'Esprit Saint et l'Église, Académie internationale des sciences religieuses, 1969, S.45-70.

[35] Dazu Neotestamentica, S.175 Anm.65.

Erlöser. Der Sinn der Sendung Jesu ist hier gerade die Vermittlung der himmlischen Substanz. Paulus begegnete nach Schweizer dieser Anschauung bei den Gnostikern oder den „Vorgnostikern" in den hellenistischen Gemeinden[36].

Beide Linien kann Paulus nach Schweizers Meinung deshalb aufnehmen, weil in beiden ein besonderes theologisches Anliegen von ihm zum Ausdruck kommt. Wie für die hellenistische Gemeinde ist auch für Paulus Pneuma die himmlische Sphäre oder Substanz, in die der Erlöser bei seiner Erhöhung eintritt. Da hellenistisch die Existenz bestimmt wird durch die Sphäre, in der sie sich befindet, kann hier der erhöhte Kyrios selbst als Pneuma, sein Leib als ein alle Glieder umspannender Geistleib verstanden werden. Durch Anschluß an Christus werden die Gläubigen in die pneumatische Existenz versetzt. Paulus nimmt diese Anschauung auf, um auszudrücken, daß Kreuz und Auferweckung Christi nicht nur die Ouvertüre zur Parusie, sondern schon die entscheidende Wende bedeuten, und daß das Leben im Geist das Leben der neuen Schöpfung selbst ist.

Mit Hilfe der alttestamentlichen Linie aber korrigiert Paulus alle naturhaften Aussagen der hellenistischen Anschauung. In Wirklichkeit denkt Paulus nicht vom gnostischen Mythos, sondern vom Ereignis der Auferstehung Christi her. Hinter der hellenistischen Form substantiellen Denkens steht die jüdische Anschauung vom schöpferischen Handeln Gottes. Die urchristliche Interpretation des Geistes als Zeichen für das noch Ausstehende nimmt Paulus auf, um gegenüber den Hellenisten an dem Noch-nicht festzuhalten.

Das neue Verständnis des Geistes bei Paulus, das sowohl das Anliegen der hellenistischen als auch das der alttestamentlichen Linie zusammenschließt, basiert nach Schweizer darauf, daß Paulus das Kreuz als das entscheidende Heilsereignis betrachtet. Das Pneuma ist für Paulus in erster Linie – und hier liegt nach Schweizer das genuin paulinische Element – die Kraft der Pistis. Es schenkt Erkenntnis des Heilshandelns Gottes am Kreuz, führt zum Bekenntnis zu Jesus als dem Herrn, bewirkt das Leben in der Sohnschaft und kann daher „Geist des Glaubens" genannt werden. Eingliederung in den pneumatischen Leib Christi bedeutet

[36] Vgl. Neotestamentica, S.176.

für Paulus Eingliederung in die Heilsereignisse Kreuz und Auferstehung. Als Kraft der Pistis enthebt der Geist den Menschen seiner eigenen Verfügung, gibt ihm die Möglichkeit, sein Leben gemäß der ihm geschenkten Kraft zu gestalten und wird so zur Norm des Lebens. Nach der negativen Seite bedeutet das die Absage an die Sarx als an das eigene Wollen des Menschen, nach der positiven Seite die Offenheit für Gott und den Nächsten: der Geist wirkt nach Paulus das Gebet und die Agape.

Eine implizite Kritik an E. Schweizers Darstellung enthält der Artikel „Geist und Geistesgaben im NT" in der dritten Auflage der RGG (1958) von E. KÄSEMANN[37].

Führt für Schweizer eine gerade Linie von den Anfängen der christlichen Geistvorstellung über die synoptischen Evangelien und die Apostelgeschichte hin zu Paulus[38], so betrachtet Käsemann die lukanische Geistlehre im wesentlichen als ein Produkt der nachpaulinischen Entwicklung. Erklärt Schweizer sowohl die christologische Bindung als auch die soteriologische Bedeutung des Geistes aus dem hellenistischen Denken, so mißt Käsemann dagegen dem Faktor der Hellenisierung nicht diese entscheidende Bedeutung bei.

Das Urchristentum verstand nach Käsemann den Geist allgemein als eschatologische Gabe, an der die ganze Gemeinde mit ihren Gliedern teilhat und die als Taufgabe die eschatologische Neuschöpfung des Einzelnen begründet. Sah man auf der alttestamentlich-jüdischen Linie den Geist vor allem im Gottesdienst, in Prophetie, Gebet und Liturgie, wie auch im Martyrium und in der Mission wirksam, so war für die hellenistische Gemeinde der Geist vor allem eine die menschliche Natur verwandelnde Macht; hier lag der Ton darauf, daß die Kraft des Geistes in Doxa ihr substan-

---

[37] Bd.II, Sp.1272-79. Vgl. zum Verständnis und zur Ergänzung dieses Artikels folgende Aufsätze Käsemanns: Anliegen und Eigenart der paulinischen Abendmahlslehre (EvTh 7, 1947/48), in: ders., Exegetische Versuche und Besinnungen I, 1968[5], S.11-34; Amt und Gemeinde im Neuen Testament, ebd S.109-134; Zum Thema der urchristlichen Apokalyptik (ZThK 59, 1962), in: Ex.Vers. u. Bes.II, 1968[3], S.105-131; Der gottesdienstliche Schrei nach der Freiheit (Festschrift E. Haenchen, 1964), in: ders., Paulinische Perspektiven, 1969, S.211-236; Geist und Buchstabe, ebd S.237-285.

[38] Bezeichnend sind in Schweizers Darstellung Sätze wie: Paulus „mußte" so denken (ThW VI, S.414 Z.17; S.415 Z.19), oder: Paulus hat das „zu Ende" gedacht (ebd S.430 Z.27.37).

tielles Substrat hat, und hier konnte somit Pneuma als Stoff des Auferstehungsleibes und als eine die Leiblichkeit berührende sakramentale Gabe verstanden werden.

Die Unausgeglichenheiten in der Anschauung der vorpaulinischen Gemeinde – z.B. das Nebeneinander der Anschauung, daß jeder Christ den Geist besitzt, und der anderen, daß der Geist sich durch besondere Personen und bei besonderen Gelegenheiten manifestiert – hängen nach Käsemann vor allem mit dem Einfluß der enthusiastischen Eschatologie und mit dem Fehlen einer systematisch entfalteten Anthropologie zusammen. Ungeklärt war vor Paulus auch das Verhältnis von Pneumatologie und Christologie.

Paulus hat – und darin besteht nach Käsemann sein Proprium – im Kampf gegen den Enthusiasmus eine systematische Lösung der offenen Fragen dadurch erreicht, daß er die Pneumatologie konsequent an die – apokalyptisch geprägte – Christologie band. Für ihn ist der Geist die Macht des auferstandenen Christus, mit der dieser die neue Schöpfung heraufführt. Das Wirken des Geistes ist für ihn auf die Unterwerfung der Welt unter den Kyrios gerichtet. Die kosmologische Bezogenheit des Geistes kommt nach Käsemann darin zum Ausdruck, daß für Paulus vor allem die Leiblichkeit der Wirkungsbereich des Geistes ist. Ist das noch ausstehende Ziel die Auferstehungsleiblichkeit, so gliedert der Geist in der Gegenwart durch die Sakramente in den Christusleib ein und ist auf den leiblichen Gehorsam des Einzelnen aus. Die Anthropologie entfaltet Paulus nach Käsemann als Tiefendimension seiner Kosmologie und Eschatologie. Gegenüber dem Enthusiasmus betont Paulus mit dieser Anschauung erstens, daß der Geist als Gabe nicht vom Geber ablösbar ist; zweitens, daß die Gabe des Geistes in der Gegenwart noch nicht die Vollendung, sondern erst ein Angeld des Zukünftigen ist; und drittens, daß die Gabe die Aufgabe in sich schließt.

Derselbe Sachverhalt ist nach Käsemann ausgedrückt in den paulinischen Antithesen Fleisch-Geist bzw. Buchstabe-Geist: Der vom Geist bewirkte Existenzwandel bedeutet Herrschaftswechsel, Befreiung von den Mächten dieser Welt zu einem Leben im Herrschaftsbereich des wahren Kosmokrators, zu einem Leben aus der Gnade und damit in Freiheit von Sünde, Gesetz, Tod und Angst. Weil die Gabe des Geistes mit der Herrschaft Christi identisch ist, sind hier untrennbar Gabe und Dienst, Rechtfertigung und Heiligung verbunden. Eine Spitze gegen den jüdischen Traditionalismus und Nomismus sieht Käsemann in der Bindung des Geistes an das Wort. Das Sein im Geist wird dadurch als ständiges Offensein für Gottes Willen charakterisiert.

Der Hauptunterschied zu Schweizers Interpretation des genuin paulinischen Verständnisses ist klar: ist Schweizers Darstellung, in der der Geist vor allem die Kraft der Pistis ist, orientiert am individuellen Menschen und seinem Glauben, so hebt Käsemann im Gegensatz zu ihm die kosmologische Bezogenheit des Geistes hervor.

Wesentlich unkomplizierter in religionsgeschichtlicher, traditionsgeschichtlicher und theologischer Hinsicht sieht O. KUß den Sachverhalt. In einem Exkurs in der 1959 erschienenen zweiten Lieferung seines Römerbriefkommentars[39] geht er ausführlich auf den paulinischen Pneumabegriff ein. Auszugehen ist nach Kuß von der Vorstellung vom Pneuma als einer charismatisch-enthusiastischen Gabe. Einsetzend bei der Gabe des Zungenredens stellt er zunächst den ganzen Bereich der besonderen Charismata dar und versucht von da aus die paulinische Vorstellung zu verstehen, nach welcher das Pneuma „die jeden Glaubenden und Getauften durchwaltende, sein ganzes, vor allem auch sein ethisches Leben bestimmende eschatologische Gabe" ist[40]. Die Anschauung vom Geist, als der die christliche Existenz bestimmenden Macht, in den Mittelpunkt der Pneumatheologie gerückt zu haben, „gehört" nach Kuß „zu den großen Leistungen des Verkündigers und Theologen Paulus"[41]. Die alttestamentliche Vorstellung vom Geist als einer innerlich verwandelnden Macht und auch Ansätze aus der vorpaulinischen Gemeinde werden bei der Entwicklung dieser Anschauung mitgespielt haben, entscheidend aber waren die seelsorgerlichen Erfahrungen und der „charismatische Realismus" des Apostels selber[42]. Angesichts der durch die Vielfalt der Charismen hervorgerufenen Verwirrung in den Gemeinden einerseits, und des Aus-

---

[39] Der Römerbrief, zweite Lieferung, 1959¹, 1963², S.540-595.
[40] a.a.O. S.545f.
[41] a.a.O. S.560f.
[42] a.a.O. S.545.586ff.

bleibens der Parusie andererseits, bestimmte Paulus den Geist als Heilskraft der Gegenwart, will sagen der Zwischenzeit zwischen Auferstehung und Parusie.

Es ist aufschlußreich, den Exkurs von O. Kuß zu vergleichen mit dem Kapitel über die Gabe des heiligen Geistes in dem Buch von L. CERFAUX „Le Chrétien dans la théologie paulienne" (1962)[43]. Auch Cerfaux setzt ein bei den Charismen, um in eine Darstellung des Geistes als Prinzip des christlichen Lebens zu münden. Zwischen den Abschnitt über die Charismen und den über das geistgewirkte neue Leben schiebt er eine Ausführung ein über die Bedeutung der Pneumatologie für das Verhältnis von Christentum und Judentum und über das Verhältnis von Christentum und Griechentum. Die Frage, wie der Geist als Prinzip der Charismen gleichzeitig Prinzip des christlichen Lebens sein kann, stellt sich für Cerfaux nicht in der Weise wie für O. Kuß als ein dringendes Interpretationsproblem. Eine implizite Antwort darauf dürfte aber in dem Abschnitt über das Verhältnis von Christentum und Judentum enthalten sein. Hier beschreibt Cerfaux, wie Paulus unter Aufnahme der jeremianischen Verheißung des neuen Bundes und unter Anknüpfung an die im hellenistischen Judentum lebendige Tendenz zur Spiritualisierung der religiösen Begriffe die jüdischen Heilsprivilegien ins Geistliche transponiert hat. Die Sohnschaft, die Herrlichkeit, das Verständnis der Gottesoffenbarung, die Erfüllung der Verheißungen und der wahre Gottesdienst, alles was Paulus in Röm 9,4 als Vorrecht Israels beschreibt, ist für ihn nur in der Gabe des Geistes Gegenwart und Wirklichkeit. Die Gabe des Geistes markiert in dieser Weise sowohl das Trennende wie auch das Verbindende zwischen Judentum und Christentum. Unter dem Aspekt der Auseinandersetzung des Paulus mit dem jüdischen Erbe behandelt Cerfaux eine so breite Skala von Geisteswirkungen, daß man den betreffenden Abschnitt als eine Brücke verstehen kann zwischen dem Abschnitt über die Charismen und dem über das neue christliche Leben. Doch muß offen bleiben, ob Cerfaux hiermit nicht überinterpretiert ist[44].

[43] Lectio Divina 33, S.219-86.
[44] In seinem Buch, La Théologie de l'Église suivant Saint Paul, Unam Sanctam 54, 1965³, S.150 sagt Cerfaux lediglich, die paulinische Pneumatologie sei nicht wesentlich verschieden von der der Jerusalemer Gemeinde, nur betone Paulus mehr die heiligende Gegenwart des Geistes.

Der jüngste Versuch, eine Gesamtanalyse des paulinischen Pneumabegriffes zu geben, stammt von D. HILL. In seiner Monographie „Greek Words and Hebrew Meanings" (1967)[45] behandelt er den Pneumabegriff im Rahmen einer Apologie der lexikographischen Methode von Kittels Theologischem Wörterbuch. Wie E. Schweizer stellt auch er die synoptischen Evangelien und die Apostelgeschichte vor Paulus. Die sich dort findende, im wesentlichen alttestamentlich-jüdische Anschauung teilt nach Hill auch Paulus, doch geht dieser über das in den syn. Evangelien und der Apostelgeschichte Bezeugte hinaus, indem er nicht nur das Außergewöhnliche als geistgewirkt betrachtet. So ist für ihn die Erbauung der Gemeinde das Kriterium der Geistesgaben. Sowohl den Anfang des christlichen Lebens, die Einverleibung in den Leib Christi bzw. die Rechtfertigung, wie auch das ethische Leben nach der Taufe führt er auf den Geist zurück. Die Wirkungen des Geistes im individuellen Leben, vor allem Erkenntnis, Gebet, Gerechtigkeit und die Sehnsucht nach dem ewigen Leben, betrachtet er als Angeld der zukünftigen Erlösung. Im Geist ist für Paulus das ganze Christusereignis, Leben, Tod und Auferstehung Christi, gegenwärtig. Zwar nicht dem Wesen und der Natur nach, wohl aber in der Funktion und in der Erfahrung der Gläubigen ist für Paulus der Geist mit Christus identisch.

Anders als E. Schweizer will Hill die über die syn. Evangelien und die Apostelgeschichte hinausgehenden Elemente im paulinischen Pneumabegriff ohne Rekurs auf das hellenistische Denken ganz vom Alten Testament und der jüdischen Tradition her verständlich machen. Ist im Alten Testament und im Judentum der Geist die wirksame Macht Gottes, durch die er auf Erden Gerechtigkeit und neues Leben schafft, und ist ferner für Paulus das Christusereignis der größte Erweis der Wirksamkeit Gottes, so kann nach Hill Paulus den Geist nur als die fortdauernde Wirksamkeit des Christusereignisses verstehen[46].

Aus der neuesten Literatur heben wir noch einige Arbeiten hervor, die sich, ohne eine Gesamtdarstellung geben zu wollen, mit zentralen Problemen der paulinischen Pneumatologie befassen.

[45] SNTSM 5.
[46] a.a.O. S.274f.283.

Die von H. Gunkel scharf gestellte Frage, wie sich Christologie und Pneumatologie im Gesamtrahmen der paulinischen Theologie zueinander verhalten, hat I. HERMANN in seiner Arbeit „Kyrios und Pneuma" (1961)[47] wieder aufgenommen. Pneuma ist nach Hermann bei Paulus eine christologische Kategorie, genauer: die christologische Kategorie der Realisation[48]. Jede Wirksamkeit, die Christus zugeschrieben wird, ist auch eine Wirksamkeit des Geistes. Umgekehrt sind auch alle theologisch prägnant gefaßten Pneuma-Aussagen bei Paulus christologisch geprägt. In seinem Verhältnis zu Christus ist „Pneuma" ein Funktionsbegriff, es ist das Mittel, durch das Christus in seiner Kirche tätig ist. Für die Christen ist Pneuma eine Erfahrungsgegebenheit, im Geist ist Christus im Innern des Menschen wirksam und erfahrbar.

Die so bestimmte Identität von Christus und dem Geist ist von zentraler Bedeutung für das Verständnis der paulinischen Soteriologie. Das Pneuma ist für Paulus die verbindende Brücke zwischen Gegenwart und Zukunft[49]. Der an sich statische Begriff „Leib Christi" bekommt erst durch die Verbindung mit dem Pneumabegriff dynamisch-aktuellen Gehalt[50]. Das objektive Heil in Christus wird erst durch den Geist subjektive Realität[51]. „Erst durch das Pneuma wird jener Kreislauf sichtbar, der vom Vater über den Kyrios durch das Pneuma den Menschen erreicht und von dort aus zum Vater zurückgeht im Ruf 'Abba, Vater'"[52]. Das Pneuma ist für Paulus das Medium der Kommunikation zwischen Kyrios und Mensch.

Als religionsgeschichtlicher Hintergrund für diese Vorstellung kommt nach Hermann nur das alttestamentlich-jüdische Denken in Betracht.

Mit der Frage nach dem Verhältnis der Pneumatologie zur Christologie beschäftigt sich auch P. STUHLMACHER in seiner Dissertation „Gerechtigkeit Gottes bei Paulus" (1965[1]; 1966[2])[53]. Käsemann hatte in seinem Aufsatz über die Gottesgerechtigkeit bei Paulus[54] auf die Verwandtschaft der Begriffe „Gottesgerechtig-

[47] SANT II. Der Untertitel des Buches lautet: „Studien zur Christologie der paulinischen Hauptbriefe".
[48] a.a.O. S.142.   [49] a.a.O. S.32.
[50] a.a.O. S.85.   [51] a.a.O. S.94.96.
[52] a.a.O. S.98.   [53] FRLANT 87.
[54] (ZThK 58, 1961), Ex.Vers. u. Bes.II, S.181-193.

keit" und „Geist" im paulinischen Verständnis hingewiesen: in beiden werde der apokalyptische Horizont des paulinischen Denkens sichtbar, denn es gehe darin um die kosmische Herrschaft Christi und damit um die unauflösliche Einheit von Gabe und Macht. Über Käsemann hinaus fragt nun Stuhlmacher nach dem genauen Verhältnis von Gottesgerechtigkeit und Geist im Rahmen der paulinischen Theologie[55].

Definiert er Gottes Gerechtigkeit als „das die Äonen überspannende, schöpferische, im Anbruch befindliche, als Wort sich heute ereignende und im Christus personifizierte befreiende Recht des Schöpfers an und über seine Schöpfung"[56], so ist für Stuhlmacher die kosmologische bzw. seinshaft-soteriologische Bedeutung der Gottesgerechtigkeit nur durch die Verbindung der Christologie mit der Pneumatologie möglich. Der Pneumabegriff ist für Paulus die notwendige „ontologische Brücke"[57]. Als Praesentia Christi und als Dynamis des Gotteswortes ist für ihn im Geist die Gottesgerechtigkeit seinshaft in der Welt gegenwärtig. Der paulinische Geistbegriff ist nach Stuhlmacher dadurch gekennzeichnet, daß in ihm nicht nur die hellenistische Anschauung vom Geist als einer machthaltigen Substanz, sondern auch die jüdische Vorstellung von der Gewalt des Gotteswortes enthalten ist. Wehrt sich Paulus mit dem hellenistischen Aspekt gegen eine nomistische Anschauung, nach der die Realität der bei der Taufe geschenkten Rechtfertigung nur in der ethischen Kehre bestünde, so ermöglicht es ihm der jüdische Aspekt, ein enthusiastisches Verständnis der Realität des Heils abzuwehren[58].

Lag Hermann und Stuhlmacher vor allem daran, die Bedeutung der Pneumatologie für die Christologie herauszustellen, so hebt H. CONZELMANN in seinem „Grundriß der Theologie des Neuen Testaments" (1967[1]; 1968[2])[59] mehr die Bedeutung der Christologie für die Pneumatologie hervor. In Conzelmanns Interpretation liegen die Akzente in ähnlicher Weise wie bei Bultmann.

Nach Conzelmann bindet Paulus den Geist an den im Kerygma, im Credo wie in der Homologie, bezeugten Christus, um dadurch einem naturhaften bzw. mystischen Geistverständnis entgegen-

---

[55] a.a.O. S.70. [56] a.a.O. S.11.
[57] a.a.O. S.76. [58] a.a.O. S. 221f. 230f.
[59] Einführung in die evangelische Theologie Bd.2.

19

zuwirken. Für Paulus ist der Geist „der Geist des Erhöhten, der uns in Predigt und Sakrament faßbar ist als der Gekreuzigte"[60]. Wenn davon die Rede ist, daß wir im Geist gerechtfertigt werden, so ist das nicht im Sinne einer mystischen Erlösungslehre zu verstehen. Diese Vorstellung, so schreibt Conzelmann, „ist nicht von der Pneumavorstellung her zu erklären (sonst bliebe unverständlich, wieso wir im Geist gerechtfertigt sind), sondern von der Christologie und Rechtfertigungslehre her: Der Geist bedeutet die reale Übertragung des Heilswerks"[61]. Wenn Paulus vom Geist der Sohnschaft redet, so ist das gegen eine mythisch-naturhafte Vorstellung der Erlösung gerichtet, denn er versteht den Geist im geschichtlichen Sinne als die Möglichkeit des Zugangs zu Gott, des Gebets, und der Freiheit vom Gesetz[62]. Weil er den Geist als Geist der Freiheit versteht, welcher keine habituelle Verwandlung bewirkt, kann er sinnvoll Indikativ und Imperativ, gegenwärtige und futurische Eschatologie verbinden[63]. Dasselbe gilt auch ekklesiologisch: Ein mystisches Verständnis der Geisteswirkungen schließt Paulus dadurch aus, daß er das Bekenntnis zum Herrn und die Erbauung der Gemeinde des Herrn zum Kriterium für die Wirkungen des Geistes macht[64].

Mit den Voraussetzungen der Interpretation von Bultmann und seinen Schülern befaßt sich die Arbeit von E. BRANDENBURGER, „Fleisch und Geist"[65]. Die Untersuchung Brandenburgers will eine neue religionsgeschichtliche Vorarbeit für den Gedankenkreis der sog. Mystik bei Paulus sein. Im Gegensatz zur Religionsgeschichtlichen Schule kommt Brandenburger zu dem Ergebnis: Die sog. mystische Linie in der paulinischen Theologie, der Dualismus von Fleisch und Geist und damit verbunden die Anschauung der Erlösung durch Einwohnung des Christus-Pneuma in den Gläubigen bzw. durch ein In-Sein der Gläubigen im Christus-Pneuma, ist nicht zu erklären als Aufnahme hellenistisch-mystischer oder hellenistisch-gnostischer Gedanken, sondern als Aufnahme und zu gleicher Zeit als Infragestellung der dualistischen Weisheit des hellenistischen Judentums, eines kosmisch-theologischen Nomismus[66].

[60] a.a.O. S.294.
[62] a.a.O. S.282f.
[64] a.a.O. S.283ff.
[66] a.a.O. S.230.

[61] a.a.O. S.233f.
[63] a.a.O. S.311.
[65] WMANT 29.

Das religionsgeschichtliche Ergebnis ist von Bedeutung für die theologische Interpretation: Versuchten Bultmann und seine Schüler das genuin paulinische Verständnis dadurch zu gewinnen, daß sie die (hellenistisch-gnostischen) naturhaften Aussagen bei Paulus auf das zugrundeliegende Verständnis vom Menschsein und dessen Geschichtlichkeit hin befragten, so kommt Brandenburger zu dem Schluß: Die Umwandlung physisch-hyperphysischer Kategorien in relational-ethische kann nicht länger als Spezifikum paulinischer oder christlicher Aneignung betrachtet werden. Die Verquickung von Substanz- und Relationsaussagen ist Paulus mit der Tradition der dualistischen Weisheit vorgegeben[67][68].

Die vorliegende Arbeit will die Frage nach der Eigenart der paulinischen Pneumatologie in ihrem Verhältnis zur Tradition aufs neue stellen, und zwar vor allem in Auseinandersetzung mit der neueren, d.h. der nach dem zweiten Weltkrieg erschienenen Literatur. Um die Problemstellung schärfer zu markieren, werden zuvor

[67] a.a.O. S.232.
[68] Unser Literaturbericht erhebt keinerlei Anspruch auf Vollständigkeit. Weitere ältere Literatur hat O. Kuß, a.a.O. S.595 zusammengestellt. Aus der neueren Literatur heben wir noch hervor: N. Q. Hamilton, The Holy Spirit and Eschatology in Paul, SJTh Occasional Papers 6, 1957; P. Bläser, „Lebendigmachender Geist". Ein Beitrag zur Frage nach den Quellen der paulinischen Theologie, Sacra Pagina 2, BEThL 12/13, 1959, S.404-413; K. Stalder, Das Werk des Geistes in der Heiligung bei Paulus, 1962; H-D. Wendland, Das Wirken des Heiligen Geistes in den Gläubigen nach Paulus (ThLZ 77, 1952), in: Pro Veritate, Festschrift L. Jaeger und W. Stählin, hg.v. E. Schlink und H. Volk, 1963, S.133-156; V. Warnach, Das Wirken des Pneumas in den Gläubigen nach Paulus, in: Pro Veritate, S.156-202; F. J. Leenhardt, Aperçus sur l'enseignement du Nouveau Testament sur le Saint-Esprit, in: Le Saint-Esprit, Publications de la Faculté autonome de théologie de l'Université de Genève, 1963, S.33-57, dort S.45ff; R. Koch, L'aspect eschatologique de l'Esprit du Seigneur d'après saint Paul, in: Studiorum Paulinorum Congressus Internationalis Catholicus 1961, AnBibl 17/18,I, 1963, S.131-141; W. Pfister, Das Leben im Geist nach Paulus, Studia Friburgensia, NF 34, 1963; M.A. Chevallier, Esprit de Dieu, paroles d'hommes. Le rôle de l'esprit dans les ministères de la parole selon l'apôtre Paul, Diss. Strasbourg 1966; B. Rigaux, L'anticipation du salut eschatologique par l'Esprit, in: Foi et Salut selon S. Paul, AnBibl 42, 1970, S.101-130; J. P. Versteeg, Christus en de Geest, een exegetisch onderzoek naar de verhouding van de opgestane Christus en de Geest van God volgens de brieven van Paulus, 1971.

einige kritische Bemerkungen von grundsätzlicher Art zu dieser Literatur gemacht.

BULTMANN ließ sich bei der Bestimmung der paulinischen Tradition im wesentlichen von den Ergebnissen der Religionsgeschichtlichen Schule leiten und orientierte seine Interpretation des spezifisch Paulinischen an der Anthropologie, d.h. an der Frage nach der Möglichkeit menschlich-geschichtlichen Lebens. So fruchtbar dieser Ansatz war, er brachte auch eine Verkürzung der historischen Perspektive mit sich[69]. Das läßt sich an dem Pneumaartikel seines Schülers E. SCHWEIZER am deutlichsten illustrieren, insbesondere daran, wie dieser das Verhältnis von Tradition und Interpretation bei Paulus darstellt.

Was zunächst die Darstellung der Tradition betrifft, so ist zu fragen, ob nicht E. Schweizer mit der Religionsgeschichtlichen Schule die Bedeutung der vorpaulinischen hellenistischen Gemeinde weit überschätzt hat. Wie weit verbreitet die Verwendung substantieller Kategorien im palästinensischen und hellenistischen Judentum war, hat E. Brandenburger gezeigt[70]. Es mag sein, daß man dem Faktor der Hellenisierung dabei eine größere Bedeutung zuschreiben kann, als Brandenburger es tut, doch ist dann weiter zu fragen, ob und wieweit genau das Denken in substantiellen Kategorien die Anschauung von der soteriologischen Bedeutung des Geistes geprägt hat. Es mag sein, daß die Vorstellung vom Pneuma als einem Substanzbereich von wesentlicher Bedeutung war für die Entwicklung der paulinischen Anschauung vom Christus-Pneuma, doch bleibt dann zu klären, ob die Vorstellung von der Heilsbedeutung des Geistes erst durch diese spezifische Form der christologischen Bindung ermöglicht wurde. Ebenso ist zu fragen, ob nicht Schweizer den hellenistischen Einfluß auf die Pneumaanschauung der synoptischen Evangelien und der Apostelgeschichte unterschätzt hat. Kann man tatsächlich, wie es Schweizer faktisch tut, an Matthäus, Markus und Lukas ablesen, was alttestamentlich gedacht oder urchristlich ist[71]?

---

[69] Allgemein dazu: N. A. Dahl, Die Theologie des Neuen Testaments, ThR 22,1954, S.21-49.

[70] a.a.O.

[71] Dazu M. Goguel, La Naissance du Christianisme, 1946, S.112ff.256ff; ders., Pneumatisme et eschatologie dans le christianisme primitif, RHR 132, 1947, S.124-169; RHR 133, 1948, S.103-161, dort S.155f.

Die Frage erscheint wenigstens berechtigt, ob nicht gerade dort, wo der Geist als Mirakelkraft ohne wesentlichen Bezug auf die christliche Existenz wirkt, ein hellenistisches Element zutage tritt[72].

Schweizers Darstellung vom spezifisch paulinischen Geistverständnis – als „Kraft der Pistis" – entspricht im wesentlichen Bultmanns Interpretation vom Geist als „Macht der Zukünftigkeit". Das genuin paulinische Verständnis sieht Schweizer überall dort, wo der Geist nicht naturhaft wirksam gedacht, sondern auf das geschichtliche Handeln Gottes bezogen ist, und wo er selber geschichtliches Leben ermöglicht. Unter der Überschrift „Die eigene Interpretation des Paulus" spricht Schweizer folglich über das Verhältnis von Geist und Heilserkenntnis, Geist und Rechtfertigung, Geist und Heiligung, Geist und Sohnschaft, Geist und Freiheit, Geist und Gebet, ohne danach zu fragen, inwieweit Paulus jeweils in diesen spezifischen Vorstellungen von seiner Tradition abhängig ist. An diesem Punkt ist eine neue traditionsgeschichtliche Untersuchung erforderlich[73].

In E. KÄSEMANNS Entwurf dagegen kommen unter historischtheologischem Blickwinkel mehr Aspekte zu ihrem Recht. Wie oben dargestellt, sieht er die Eigenart der paulinischen Pneumatologie darin, daß diese im Kampf gegen den Enthusiasmus an der apokalyptischen Frage nach der kosmischen Herrschaft Christi orientiert und in dieser Perspektive anthropologisch expliziert ist. Von hieraus ist Käsemann in der Lage, die wesentlichen Aspekte der paulinischen Pneumatologie in einer bestechenden Geschlossenheit systematisch zu entfalten. Wenn man jedoch dem Kampf gegen den Enthusiasmus nicht dieselbe entscheidende Bedeutung für das Verständnis der paulinischen Theologie wie Käsemann zumessen kann, dann wird die Frage nach dem Verhältnis von

---

[72] Vgl. D. Georgi, Die Gegner des Paulus im 2. Korintherbrief, WMANT 11, 1964, S.210ff.

[73] Wie sehr Schweizers Darstellungsweise zu einer Verkürzung der historischen Perspektive führt, wird auch ersichtlich, wenn man auf die Auswahl der Themen achtet. Die Charismenlehre und die Rolle des Geistes in der Mission erscheinen bei Schweizer nur am Rande. Die Pneuma-Gramma-Antithese wird nur im Vorbeigehen unter dem Aspekt der „Offenheit für Gott und den Nächsten" behandelt. Gemeinde und Welt, Leib Christi und neue Schöpfung kommen bei Schweizer fast nur in ihrer Bedeutung für die gläubige Existenz ins Blickfeld.

Tradition und Interpretation aufs neue akut. Die traditionsgeschichtlichen Voraussetzungen, etwa für die christologische Bindung des Geistes und die Bedeutung des Geistes für die Rechtfertigung und Heiligung müssen dann neu untersucht werden. Die Darstellungen von O. KUß und D. HILL bieten gegenüber denen der Bultmannschule kaum eine historisch befriedigende Alternative. Wenn man zentrale Aspekte der paulinischen Pneumatologie wie die Bindung des Geistes an Christus und seine soteriologische Bedeutung dadurch zu erklären versucht, daß man auf das theologische und praktische Genie des Paulus rekurriert oder generell auf die alttestamentlich-jüdische Bedeutung des Geistes als einer wirksamen Heilsmacht Gottes hinweist, dann wird die vielschichtige Problematik allzusehr vereinfacht. Demgegenüber hat das Kapitel über die Gabe des Geistes von L. CERFAUX den Vorteil, daß hier dadurch, daß die Auseinandersetzung des Paulus mit der jüdischen Bundestheologie zum Thema erhoben ist, mehrere Elemente der paulinischen Pneumatologie historisch-theologisch in ein klares Licht gerückt sind, die in anderen Darstellungen nur ein Schattendasein führen.

Die Frage nach den traditionsgeschichtlichen und religionsgeschichtlichen Voraussetzungen des paulinischen Pneumabegriffes ist von entscheidender Bedeutung für die Frage nach der Stellung der Pneumatologie innerhalb des Gesamtrahmens der paulinischen Theologie. Wenn in der neueren Forschung der Geist vor allem als subjektiver Heilsfaktor dargestellt wird, so läßt sich meistens unschwer erkennen, daß die Exegese von einem besonderen systematisch-theologischen oder hermeneutischen Interesse geleitet ist. Problematisch wird es aber, wenn man diese Interpretation auf ihre historischen Voraussetzungen hin befragt.

Wenn I. HERMANN Pneuma als „die christologische Kategorie der Realisation" bezeichnet, so will er mit dieser Interpretation vor allem die kirchlich-trinitarische Auslegung abwehren. Die Frage nach dem religionsgeschichtlichen Hintergrund dieser Anschauung beantwortet Hermann jedoch völlig unzureichend mit dem Verweis auf die alttestamentlich-jüdische Theologie, wo der Geist Bezeichnung für das Handeln Gottes sei.

Wenn P. STUHLMACHER den Geist als die „ontologische Brücke" in der paulinischen Soteriologie betrachtet, so steht dabei sein spezifisches Verständnis einer „ontologischen Exegese" im Hintergrund[74]. Es stimmt aber schon bedenklich, daß Stuhlmacher, um diese Deutung aufrechterhalten zu können, den Pneumabegriff jeweils dort einführt, wo er bei Paulus gar nicht erscheint[75]. Noch mehr Fragen ruft Stuhlmachers religionsgeschichtliche Einordnung hervor. Die These, daß Paulus in seinem Pneumabegriff das hellenistische Verständnis vom Geist als einer machthaltigen Substanz und das jüdische Verständnis vom schöpferischen Gotteswort vereinigt, um die Rechtfertigung seinshaft-kosmologisch verstehen zu können, ohne dabei der Gefahr des Enthusiasmus zu erliegen, läßt sich an den Texten kaum verifizieren.

Wenn H. CONZELMANN den Geist als „die reale Übertragung des Heilswerks" Christi versteht, so ist auch diese Deutung von einem hermeneutischen Interesse geleitet. Conzelmanns Exegese ist im Bultmannschen Sinne an der Anthropologie orientiert. Die soteriologische Bedeutung des Geistes kommt von daher nur unter dem Gesichtspunkt einer Abwehr des naturhaft-mystischen Verständnisses in Betracht. Mit seiner Interpretation verbindet Conzelmann nun das traditionsgeschichtliche Urteil, die Vorstellung von der Rechtfertigung im Geist sei nicht von der Pneumatradition, sondern nur von der Christologie und der Rechtfertigungslehre her zu verstehen. Ob diese Meinung zurecht besteht, wird zu prüfen sein.

Die vorliegende Untersuchung will keinen neuen Gesamtentwurf der paulinischen Pneumatologie liefern. Sie beschränkt sich vielmehr auf einen zentralen Problemkomplex, nämlich auf die soteriologische Bedeutung des Geistes und im Zusammenhang damit auf das Verhältnis von Pneumatologie und Christologie bei Paulus.

---

[74] Dazu P. Stuhlmacher, Erwägungen zum ontologischen Charakter der καινὴ κτίσις bei Paulus, EvTh 27, 1967, S.1-35, dort S.1ff.
[75] So in 2. Kor.5,21 (a.a.O. S.76) und in Phil.3,9 (a.a.O. S.99ff).

2. KAPITEL.
DER GEIST UND DER EINTRITT
IN DAS REICH GOTTES
(*1 Kor 6,9-11; Gal 5,19-24; 1 Kor 15,44-50*)

In 1 Kor 6,9f, Gal 5,19ff und 1 Kor 15,50 formuliert Paulus die Eintrittsbedingungen für das Reich Gottes. Wortwahl und Struktur dieser Sätze sind eigenartig geprägt[1]. Es ist allgemein anerkannt, daß Paulus hier urchristliche Tradition aufnimmt[2]. Die Eintrittsbedingungen werden direkt nur in negativer Form benannt. Ausgeschlossen aus dem Reich Gottes sind nach *1 Kor 6,9f* die „Ungerechten". In einem Lasterkatalog werden die Grenzen zwischen dem Bereich der Ungerechtigkeit und dem der Gerechtigkeit global abgesteckt. Aufgezählt werden ethische Verfehlungen.

Auch in *Gal 5,19ff* dient ein Lasterkatalog dazu, das Verhalten der Ausgeschlossenen zu umschreiben. Die im Katalog genannten Taten werden hier als „Werke des Fleisches" zusammengefaßt. Die Lasterkataloge bei Paulus sind nach Form und Inhalt traditionell[3]. Auch die Verbindung der Kataloge mit den Einlaßsprüchen war Paulus von der Tradition her vorgegeben[4].

[1] An allen drei Stellen ist die Aussage negativ in apodiktischem Stil formuliert. Stereotyp ist die Verbindung von κληρονομεῖν mit βασιλεία θεοῦ, wobei im Gegensatz zum sonstigen paulinischen Sprachgebrauch βασιλεία θεοῦ artikellos und das Verbum κληρονομεῖν ohne erbrechtliche Bedeutung erscheint. Sowohl in 1 Kor 6,9 wie auch in Gal 5,21 leitet Paulus die Sätze ein mit einem Hinweis darauf, daß er Bekanntes wiederholt.
[2] Vgl. A. Seeberg, Der Katechismus der Urchristenheit, 1903, Nachdruck ThB 26, 1966, S.11.43; J. Weiß, Der erste Korintherbrief, MeyerK 1910, S.153f; H. Windisch, Die Sprüche vom Eingehen in das Reich Gottes, ZNW 27, 1928, S.163-192, dort S.171; A. Vögtle, Die Tugend- und Lasterkataloge im Neuen Testament, NTA Bd XVI, H.4/5, 1936, S.38-45; Ph. Carrington, The primitive Christian Catechism, 1940, S.17f.
[3] Dazu A. Vögtle, a.a.O.; S. Wibbing, Die Tugend- und Lasterkataloge im Neuen Testament, BZNW 25, 1959; E. Kamlah, Die Form der katalogischen Paränese im Neuen Testament, WUNT 7, 1964.
[4] Vgl. die verwandte Tradition in Apk 21,7f.27; 22,14f; bei den Einlaßsprüchen in den synoptischen Evangelien findet man diese Verbindung jedoch nicht.

Wie in Gal 5,19ff ist auch nach *I Kor 15,50* das von der Sarx Beherrschte ausgeschlossen. Anders als dort jedoch wird hier in der Verbindung „Fleisch und Blut" das Fleisch nicht unter dem Aspekt seiner ethischen Auswirkungen, sondern unter dem seiner irdisch-vergänglichen Substanz betrachtet. Dem Reiche Gottes als dem Bereich der ἀφθαρσία stehen Fleisch und Blut als Sphäre der φθορά gegenüber[5].

Wie die Eintrittsbedingungen in positiver Form aussehen, kann man daraus entnehmen, wie Paulus jeweils den Stand der Christen im Gegensatz zu dem der Ausgeschlossenen beschreibt. In *1 Kor 6,11* verwendet Paulus, um den christlichen Stand zu beschreiben, nicht einen Tugendkatalog, sondern er weist hin auf die in der Vergangenheit geschehene Umwandlung der Korinther. Die Korinther gehören deshalb nicht zu den Ausgeschlossenen, weil sie abgewaschen, geheiligt und gerechtfertigt sind im Namen des Herrn Jesus Christus und im Geiste Gottes. Die drei Verben ἀπελούσασθε, ἡγιάσθητε und ἐδικαιώθητε nehmen Bezug auf ein und dasselbe Geschehen, und zwar – wie die Aoristi und das Verbum ἀπολούεσθαι zeigen – auf die Taufe. Die Vorstellung, daß die Taufe die Sündenschuld bzw. die mit der Sünde zusammenhängende Unreinheit abwäscht, ist allgemein frühchristliche Anschauung. Bei Paulus begegnet sie jedoch nur an dieser Stelle. Eine ähnliche Zusammenstellung soteriologischer Termini begegnet auch in 1 Kor 1,30; es ist nicht auszuschließen, daß hier ein liturgisch geprägter Satz vorliegt[6].

Aus dem traditionellen Charakter des Satzes schließt Bultmann, daß die Verben δικαιωθῆναι und ἁγιασθῆναι hier im gemeinchristlichen Sinne der Sündentilgung zu verstehen sind[7]. Andere

---

[5] Zu dieser Stelle: Joach. Jeremias, „Flesh and Blood cannot inherit the Kingdom of God" (1 Cor 15,50), (NTS 2, 1955/1956) in: ders. Abba, 1966, S.298-307.

[6] So E. Dinkler, Zum Problem der Ethik bei Paulus, (ZThK 49, 1952) in: ders., Signum Crucis, 1967, S.204-240, dort S.226f; E. Käsemann, Ex. Vers. u. Bes. II, S.182; G. Schille, Frühchristliche Hymnen, 1965, S.93f; vgl. auch E. Lohse, Taufe und Rechtfertigung bei Paulus, KuD 11, 1965, S.308-324, dort S.321f; anders K. Wengst, Christologische Formeln und Lieder des Urchristentums, Diss. Bonn, 1967, S.82f.

[7] Theologie des NT, S.138f; ähnlich für δικαιωθῆναι: W. Bauer, Wörterbuch zum Neuen Testament, 1958[5], Sp.392; K. Kertelge, „Rechtfertigung" bei Paulus, NTA, NF 3, 1967, S.234ff.

Exegeten legen den beiden Verben eine positivere Bedeutung bei und denken an eine seinshafte Umwandlung[8]. Nun kann es sich dabei kaum um einen ausschließlichen Gegensatz handeln. „Rechtfertigen" kann zwar in der paulinischen Tradition der Bedeutung „Sünden vergeben" sehr nahe kommen (z.b. Röm 3,24f), wie jedoch diese Bedeutung dem Begriff sowohl im Hebräischen als auch im Griechischen ursprünglich fremd ist, so läßt sich auch später der Begriff damit kaum vollständig erfassen. Im N.T. ist das positive Moment, der Bezug auf das wiederhergestellte „richtige" Verhältnis zwischen Gott und Mensch immer mit eingeschlossen[9]. „Heiligen" bedeutet in der christlichen wie in der jüdischen Literatur durchweg: aus der Sphäre des Unreinen in die Sphäre der göttlichen Gegenwart bringen. Manchmal ist der negative Aspekt, die Beseitigung der Unreinheit, mehr betont, manchmal mehr der positive, die Erfüllung mit göttlicher Kraft oder Substanz[10]. Auch wenn im traditionellen Verständnis bei beiden Verben der Ton auf „Sündentilgung" läge, so ist doch eine Versetzung in die Sphäre der göttlichen Gegenwart und in das richtige Verhältnis mit Gott undenkbar, die keine seinshafte Umwandlung

[8] So W. Heitmüller, Im Namen Jesu, FRLANT I, 2, 1903, S.321; J. Weiß, 1 Kor, S.155; R. Asting, Die Heiligkeit im Urchristentum, FRLANT 46, 1930, S.213f; R. Schnackenburg, Das Heilsgeschehen bei der Taufe nach dem Apostel Paulus, MThS I/1, 1950, S.1ff; E. Dinkler, a.a.O.; H. Conzelmann, Der erste Brief an die Korinther, MeyerK, 1969, S.129f; E. Lohse, a.a.O., unterscheidet zwischen der Bedeutung der Begriffe im traditionellen und im paulinischen Gebrauch.

[9] Vgl. J. Pedersen, Israel, its Life and Culture I-II, 1926, S.345-47; C. H. Dodd, The Bible and the Greeks, 1964³, S.46-53; D. Hill, Greek Words and Hebrew Meanings, S.101f.105ff. Zwar kann δικαιόω auch „rein machen" oder „frei machen von" bedeuten. Die erste Bedeutung begegnet in der biblischen Literatur jedoch höchst selten; die wichtigste Belegstelle ist Ps 72,13 LXX, wo das Wort für hebr. זכה steht. Erst in der rabbinischen Literatur ist צדק oft gleichbedeutend mit זכה (זכא); vgl. Hill, a.a.O., S.116f. Die zweite Bedeutung sollte man nur an den Stellen annehmen, wo δικαιόω mit ἀπό verbunden ist (Sir 26,29; TestSim 6,1; Apg 13,38f; Röm 6,7); anders jedoch G. Schrenk, Art. δίκη κτλ. ThW II, dort S.217.

[10] Vgl. J. Pedersen, Israel III-IV, 1940, passim; R. Asting, a.a.O., S.17-72; K. Koch, Die Eigenart der priesterschriftlichen Sinaigesetzgebung, ZThK 55, 1958, S.36-50, dort S.41ff; F. Nötscher, Heiligkeit in den Qumranschriften, RdQ 2, 1959/60, S.163-181; 315-344; D. Barthélemy, La sainteté á Qumran et dans l'Evangile, in: La secte de Qumrân et les origines du christianisme, Recherches bibliques IV, 1959, S.204-16.

wäre. Offen bleibt nur, ob dieses „Sein" vorwiegend in Relations-
oder in Substanzkategorien zu beschreiben ist.

Auch die Tatsache, daß Paulus den Namen Jesu und den Gottesgeist im Zusammenhang mit der Taufe erwähnt, ist traditions-
bedingt. Schon früh unterschied die christliche Gemeinde ihre
Taufe von der des Johannes durch die Verwendung des Namens
Jesu und durch die Verleihung des Geistes[11]. Die parallele Formulierung von ἐν τῷ ὀνόματι ... ἐν τῷ πνεύματι ... findet man
sonst jedoch nicht im N.T. Diese Parallelisierung wird einen rhe-
torischen Grund haben und ist wahrscheinlich Paulus zuzuschreiben.
Doch darf diese Erkenntnis nicht dazu verleiten, von der Frage
nach dem traditionsgeschichtlichem Ort dieser Aussage abzusehen.
Wir haben zu fragen, von welcher Geistesvorstellung aus eine solche
Parallelisierung überhaupt möglich war[12].

Die Beschreibung der positiven Seite in *Gal 5,22ff* stimmt mit
der von 1 Kor 6,11 darin überein, daß das Heil sowohl unter dem
christologischen, wie unter dem pneumatologischen Aspekt betrachtet ist. Den Werken des Fleisches wird – in einem Tugendkatalog zusammengefaßt – die Frucht des Geistes gegenübergestellt.
Hier ist es die Funktion des Geistes, den gerechten Wandel, das
dem eschatologischen Leben angemessene Verhalten zu ermöglichen. Den Tugendkatalog und die Anschauung vom Geist als
dem Prinzip des ethischen Lebens hat Paulus von der Tradition
übernommen[13]. Obwohl die ethische Bedeutung der Wirksamkeit
des Geistes hier besonders hervorgehoben ist, fehlt doch das soteriologische Moment nicht. Nach V.23b schließt die Wirkung des
Geistes die gegenwärtige und zukünftige Rechtfertigung der
Gläubigen ein. Denn von den Pneumatikern gilt „gegen solche
erhebt das Gesetz keine Anklage"[14]. In dieser Form gehört der

---

[11] Dazu jetzt: H. Thyen, Studien zur Sündenvergebung im Neuen Testament und seinen alttestamentlichen und jüdischen Voraussetzungen,
FRLANT 96, 1970, S.147ff.
[12] Die früher manchmal vertretene Meinung, die beiden Bestimmungen
seien auf die drei Verben zu verteilen (so z.B. B. Weiß, Lehrbuch der bibl.
Theol., 7.Aufl. S.332 Anm.14), findet man in der neueren Literatur nicht mehr.
[13] Dazu die oben Kap.2, Anm.3 genannte Literatur.
[14] Der Satz ergibt einen besseren Sinn, wenn man τοιούτων als Masculinum
statt als Neutrum faßt. So richtig, gegen die Mehrzahl der neueren Kommentare: A. van Dülmen, Die Theologie des Gesetzes bei Paulus, SBM 5, 1968,
S.63 Anm.139.

Satz nicht zur Tradition. Die den ganzen Brief durchziehende Gesetzespolemik weiterführend, will Paulus hier sagen: die mit dem Geist Begabten stehen nicht mehr unter der vernichtenden Macht des Gesetzes. Doch ist zu sehen, daß Paulus hier insoweit an das traditionelle Verständnis anknüpft, als er damit den Satz „solche werden das Reich Gottes erben" auslegt.

Das Heil in Christus besteht nach V.24 in der Kreuzigung des Fleisches mit seinen Leidenschaften und Begierden. Die Funktion Christi deckt sich hier im wesentlichen mit der des Geistes, wenn auch das eine Mal mehr die negative, das andere Mal mehr die positive Seite betont wird. Durch die Teilhabe am Kreuzestod Christi sind nicht nur die Sünden vergeben, ist nicht nur die Voraussetzung für das neue Leben geschaffen, sondern es ist auch die Macht des Fleisches gebrochen. Der Kampf gegen das Fleisch ist aber gerade die Aufgabe des Geistes. Nicht nur darin stimmt Gal 5,22ff mit 1 Kor 6,11 überein, daß Christus und der Geist nebeneinander als Heilsfaktoren genannt werden, sondern auch darin, daß Christus und dem Geist dieselben Funktionen zugeschrieben werden.

Noch in einem weiteren Punkt ist Übereinstimmung zwischen den beiden Stellen festzustellen. Über die Kreuzigung des Fleisches wird in Gal 5,24 im Aorist gesprochen; es wird dabei an den Taufakt gedacht sein[15]. Die Vorstellung von der Kreuzigung mit Christus ist der vorpaulinischen Tauftradition zuzuweisen[16]. In 1 Kor 6,11 stellten wir ebenso einen Bezug auf das Taufgeschehen fest. Die Tatsache, daß Christus und der Geist als Heilsfaktoren nebeneinander gestellt sind, dürfte auch in Gal 5,22ff von der Tauftradition her zu erklären sein. Man darf sogar vermuten, daß die ganze Tradition vom Einlaß in das Reich Gottes in der vorpaulinischen Gemeinde zur Taufverkündigung gehörte[17].

[15] Mit H. Schlier, Der Brief an die Galater, MeyerK, 1965⁴, S.263 und den dort Anm.4 genannten Autoren. Kritisch dazu: R. C. Tannehill, Dying and Rising with Christ, BZNW 32, 1967, S.61 Anm.2. Zum Problem auch H. Ridderbos, Paulus, ontwerp van zijn theologie, 1971², S.60ff.224ff.

[16] Vgl. G. Braumann, Vorpaulinische christliche Taufverkündigung bei Paulus, BWANT 82, 1962, S.50ff.

[17] Ähnliches läßt sich nicht von den Einlaßsprüchen in den synoptischen Evangelien sagen. Vielleicht wurde Mk 10,13ff in einer späteren Traditionsphase auf die Taufe bezogen; dazu Joach. Jeremias, Die Kindertaufe in den ersten vier Jahrhunderten, 1958, S.61ff; E. Schweizer, Die „Mystik"

In 1 Kor 15 steht weniger das gegenwärtige, als vielmehr das zukünftige, mit dem Endgericht eintretende Heil im Blickfeld. Paulus setzt sich in diesem Kapitel mit der Tatsache auseinander, daß manche Christen in Korinth die zukünftige Totenauferstehung leugneten. Er geht dabei aus von dem überlieferten Kerygma über Christi Tod, Auferstehung und Erscheinungen (V.1-11). Von der Wahrheit der Verkündigung des auferstandenen Christus schließt er auf die Wirklichkeit der zukünftigen Auferstehung der entschlafenen Gläubigen. Christus ist ja der eschatologische Anthropos, der zweite Adam, dessen Geschick ebenso wie das des ersten Menschen bestimmend ist für die ganze Menschheit. Die Gegenwart seit der Auferweckung Christi ist die Zeit, in der Christus die Weltherrschaft ausübt, mit dem Ziel die gottfeindlichen Mächte zu unterwerfen. Erst wenn als letzter Feind auch der Tod vernichtet sein wird – bei der Auferweckung der Gläubigen –, sind alle Vorbedingungen für die Verwirklichung der βασιλεία τοῦ θεοῦ erfüllt (V.12-28).

Nicht nur das „Daß", so argumentiert Paulus weiter, sondern auch das „Wie" der Totenauferstehung ist heilsentscheidend. Auch für dieses „Wie" ist die Auferstehung Christi bestimmend. Bekam der erste Adam nach Gen 2,7 bei seiner Erschaffung ein psychisches Wesen, so wurde der eschatologische Adam durch seine Auferweckung zum lebendigmachenden Pneuma[18]. So wie das Geschlecht des irdischen Adams dessen Eikon-Gewand trägt und von vergänglich-sarkischem Wesen ist, so werden die Christus-Angehörigen durch die Auferweckung der Toten bzw. durch eine Verwandlung der noch Lebendigen mit dem Eikon des himmlischen Menschen überkleidet und mit unvergänglicher pneumatischer Leiblichkeit ausgerüstet werden. Nur durch diese Substanzverwandlung ist die Vorbedingung für den Eintritt in die βασιλεία τοῦ θεοῦ erfüllt (V.35-50).

Wie in den anderen beiden analysierten Texten erscheinen auch in 1 Kor 15,44ff Christus und der Geist zusammen als Heilsfaktoren.

des Sterbens und Auferstehens mit Christus bei Paulus, (EvTh 26, 1966; NTS 14, 1967/68) in: ders., Beiträge zur Theologie des Neuen Testaments, 1970, S.183-203, dort S.186. Dagegen ist die Traditionslinie der vorpaulinischen Gemeinde weitergeführt in Joh 3,5; 2 Clem 6,9; Herm sim IX, 12,4f; IX, 16,2ff; Ps Clem Hom 13,21.
[18] Vgl. E. Schweizer, ThW VI, S.417; H. Conzelmann, 1 Kor, z.St.

Christus und der Geist haben hier nicht nur dieselbe Funktion, sondern sie sind auch ihrer Wesensart nach identisch. Die Funktion des Pneuma-Christus ist hier eine schöpferische. Als Pneuma führt Christus die neue Schöpfung herauf, indem er die Gläubigen von den Toten auferweckt, bzw. die noch Lebendigen in die himmlische Herrlichkeit verwandelt.

Wenn Paulus in 1 Kor 15 die Heilswirkung des Pneuma-Christus beschreibt, verwendet er nicht in demselben Umfang wie in 1 Kor 6,9-11 und Gal 5,19-24 traditionelle Formulierungen[19]. Die Übereinstimmung mit diesen beiden Stellen – der Spruch vom Einlaß in das Reich Gottes und die Erwähnung von Christus und dem Geist als Heilsfaktoren – läßt jedoch die Vermutung aufkommen, daß auch hier die Tauftradition zugrunde liegt. Zur Unterstützung dieser Vermutung ist darauf hinzuweisen, daß die Vorstellung vom Eikon-Gewand einen festen Sitz in der Tauftradition hat[20]. Die Tatsache, daß Paulus in V.17 an die geschehene Sündenvergebung, und in V.29 an den korinthischen Brauch, sich für die Toten taufen zu lassen, erinnert, darf als ein weiteres Indiz in Anspruch genommen werden[21].

Zusammenfassend können wir sagen: wenn Paulus die Eintrittsbedingungen für das Reich Gottes formuliert und dabei Christus und den Geist als Faktoren nennt, die den Eintritt ermöglichen, nimmt er eine geprägte Tradition auf. Man kann allgemein von „Taufverkündigung" sprechen, insoweit jeweils mehr oder weniger explizit Bezüge auf das Taufgeschehen festzustellen sind[22].

In den drei behandelten Texten wird das gesamte Heil, die

---

[19] Zur Frage nach den traditionellen Elementen in 1 Kor 15 überhaupt vgl. K. H. Rengstorf, Die Auferstehung Jesu, 1967[5], S.128ff.

[20] Vgl. Gal. 3,27; Kol 3,8ff; Eph 4,24ff; weiteres bei Carrington, a.a.O. S.32ff.

[21] Nach J. Jervell, Imago Dei, FRLANT 76, 1960, S.261 bezieht sich Paulus in 1 Kor 15,45ff besonders auf die Tauftradition der hellenistischen Gemeinde, die an der Gegenwart des in der Taufe geschenkten Heils orientiert war. Das ist durchaus denkbar, doch ist auch die andere Möglichkeit nicht auszuschließen, daß in der Tradition die Taufe als Versiegelung für die künftige Neuschöpfung verstanden wurde.

[22] Die Frage nach dem genauen Ort dieser Tradition innerhalb der frühchristlichen „Taufliturgie" wird sich kaum eindeutig beantworten lassen. Es ist von vornherein mit einer vielfältigen Verwendung dieser Tradition im Umkreis des Taufgeschehens zu rechnen.

Reinigung, Heiligung und Rechtfertigung in der Vergangenheit, der gerechte Wandel in der Gegenwart und die Verwandlung in der Zukunft, sowohl Christus als auch dem Geist zugeschrieben. Die Funktionen des Geistes decken sich jeweils in jeder Hinsicht mit denen Christi. Wir haben jetzt zu fragen, inwieweit auch diese Vorstellung in der Tradition begründet ist. Unlöslich damit verbunden ist die Frage, wie sich Christus und der Geist als Heilsfaktoren zueinander verhalten. Hat der Geist hier etwa die Funktionen Christi übernommen, oder sind die Funktionen des Geistes auch ohne die Bindung an Christus erklärbar? Um diese Fragen zu beantworten, gehen wir zunächst in einem gesonderten Kapitel auf das alttestamentlich-jüdische Geistverständnis ein.

3. KAPITEL.
DER GEIST UND DAS HEIL
IM ALTEN TESTAMENT UND
IM JUDENTUM

1. Die vorexilische Zeit

Die im vorigen Kapitel behandelten Sprüche vom Eingehen in das Reich Gottes haben, wie H. Windisch gezeigt hat[1], einen kultischen Ursprung. Im altorientalischen Kultus ist der Eintritt in das Heiligtum gebunden an bestimmte Bedingungen. In einen solchen Vorstellungskreis gehören im A.T. die Gattung der Torliturgien und die des Beichtspiegels (vgl. Ps 15; 24,3ff; bzw. Dtn 26,12ff). Eintritt zum Heiligtum haben hier nur die „Gerechten"[2]. Schon in relativ früher Zeit begegnet die Einlaßtradition auch losgelöst vom Kult in engerem Sinne. Beispiele dafür sind die Bedingungen für den Eintritt in die Gemeinde Jahwes in Dtn 23,2-9 und auch die Bedingungen, denen das Gottesvolk im Deuteronomium für das „Erben" des Landes und den damit verbundenen Segen unterworfen ist (Dtn 4,1ff; 6,17ff; 16,20).

Nun gilt die Gerechtigkeit, die einerseits Vorbedingung für den Einlaß in das Heiligtum ist, andererseits zugleich als eine vom

[1] ZNW 27, S.177-186; vgl. auch L. Cerfaux, L'Église et le Règne de Dieu d'après saint Paul, (EThL 2, 1925) in: Recueil L. Cerfaux II, BEThL VI-VII,2, 1954, S. 365-387, dort S.366ff; W. Zimmerli, Die Frage des Reichen nach dem ewigen Leben, (EvTh 19, 1959) in: ders., Gottes Offenbarung, ThB 19, 1969², S.316-324; G. von Rad, Theologie des Alten Testaments I, 1969⁶, S.390.

[2] Dazu vor allem G. von Rad, „Gerechtigkeit " und „Leben" in der Kultsprache der Psalmen, (Festschrift A. Bertholet, 1950) in: ders., Gesammelte Studien zum Alten Testament, ThB 8, 1965³, S.225-247; der neueste Beitrag zu diesem Thema stammt von H. Graf Reventlow, Rechtfertigung im Horizont des Alten Testaments, BEvTh 58, 1971, S.66ff. Zum Begriff צדקה im A.T. vgl. außer der von Fr. Horst im Art. „Gerechtigkeit Gottes II", RGG³, Sp.1406 genannten Literatur und dem Literaturbericht von P. Stuhlmacher, Gerechtigkeit Gottes, S.113-145: A. Jepsen, צדק und צדקה im Alten Testament, in: Gottes Wort und Gottes Land, Festschrift H-W. Herzberg, hg. v. H. Reventlow, 1965, S.78-89; H. H. Schmid, Gerechtigkeit als Weltordnung, BHTh 40, 1968; H. Graf Reventlow, a.a.O., S.33ff.

34

Heiligtum ausgehende Gabe. Die von der Kultgemeinde vorgewiesene Gerechtigkeit ist keine andere als die von Jahwe in seiner kultischen Selbst- und Willensoffenbarung ermöglichte und geschenkte. Die von Jahwes kultischer Gegenwart ausgehenden Heilsgüter Gerechtigkeit, Segen und Leben bestimmen auch die Existenz des Volkes vor Jahwe[3]. Dasselbe gilt für die Gerechtigkeit des Gottesvolkes im Deuteronomium. Im Rahmen der Bundestheologie ist die Existenz Israels nicht eine neutrale, die sich frei zwischen Halten und Übertreten der Gebote, zwischen Segen und Fluch entscheiden kann. Kraft des von Gott den Vätern gegebenen Bundes steht Israel von vornherein unter dem Segen, und seine Gerechtigkeit, die für den Eintritt in das Land gefordert ist, ist eine von Jahwe geschenkte Gerechtigkeit[4].

Verstand Israel wohl von Anfang an seine Gerechtigkeit als Gabe Gottes, so findet sich hingegen in den vorexilischen Texten die Anschauung nicht belegt, daß die Existenz des Gottesvolkes, die Möglichkeit und Wirklichkeit seiner Gerechtigkeit vor Gott, in einer allgemeinen Geistbegabung begründet sei[5].

[3] Vgl. K. Koch, Wesen und Ursprung der „Gemeinschaftstreue" im Israel der Königszeit, ZEE 5, 1961, S.72-90, dort S.83ff; H. Gese, Der Dekalog als Ganzheit betrachtet, ZThK 64,1967, S.121-138, dort S.124.
[4] Dazu M. Noth, „Die mit des Gesetzes Werken umgehen, die sind unter dem Fluch", (In memoriam A. von Bulmerincq, 1938) in: ders. Gesammelte Studien zum Alten Testament, ThB 6, 1966[3], S.155-171, dort S.165ff; G. von Rad, Theologie I, S.242ff. Zur Eigenart der deuteronomischen Bundestheologie: L. Perlitt, Bundestheologie im Alten Testament, WMANT 36,1969.
[5] Zum Begriff רוח und zur Vorstellung von den Wirkungen des göttlichen Geistes im A.T. vgl. außer der von G. Gerleman im Art. „Geist und Geistesgaben im AT", RGG[3], Sp.1271 genannten Literatur: A. R. Johnson, The Vitality of the Individual in the Thought of Ancient Israel, 1964[2]; J. H. Scheepers, Die gees van God en die gees van die mens in die Ou Testament, Diss. VU Amsterdam, 1960; D. Lys, Rûach, Le souffle dans l'Ancien Testament, EHPhR 56, 1962; Th. C. Vriezen, De Heilige Geest in het Oude Testament, in: De spiritu sancto, Bijdragen tot de leer van de Heilige Geest bij gelegenheid van het 2.eeuwfeest van het Stipendium Bernardinum, Utrecht, 1964, S.7-39; Ph. Reymond, Aperçus sur l'Esprit dans l'Ancien Testament, in: Le Saint-Esprit, Publications de la Faculté autonome de théologie de l'Université de Genève, 1963. Zur lexikologischen Frage zur Übersetzung von רוח mit πνεῦμα bzw. mit „Geist" vgl. M. Buber in: Buber-Rosenzweig, Die Schrift und ihre Verdeutschung, 1936, S.160ff; K. L. Schmidt, Das Pneuma Hagion als Person und als Charisma, Eranos-Jahrbuch XIII, 1945, S.187-235, dort S.194ff.

Dennoch läßt sich auch in den vorexilischen Texten mehrfach ein Zusammenhang zwischen Jahwes Gerechtigkeit und dem Wirken seines Geistes feststellen. Das gilt zunächst für das Zentrum der Sphäre von Jahwes Gerechtigkeit: für das Gebiet des Gottesrechtes. Verstand das älteste Israel die Gabe des Gottesrechtes im dynamischen Sinne als aktuelle Führung des Volkes durch Jahwe mittels des Orakels[6], so ist in späterer Zeit die Anschauung vom charismatisch-dynamisch vermittelten Gottesrecht vor allem in den Prophetenschulen lebendig geblieben. So bildete sich etwa seit dem 8.Jh. bei den Propheten des Nordreiches die Anschauung, daß Jahwe seinen Willen in der Geschichte durch eine ununterbrochene Kette von „Geistesträgern" kundgetan habe (vgl. Hos 6,5; 9,7; 12,11; Dtn 18,18ff)[7]. In der nachexilischen Zeit entstand daraus die Vorstellung, daß Jahwe sein Volk in der Geschichte – mehr oder weniger direkt – durch seinen Geist geführt habe (vgl. Jes 63,8-14; Neh 9,20.30; Sach 7,12).

Als weitere Bereiche, in denen Jahwe seine Gerechtigkeit durch die Wirkung seines Geistes erweist bzw. durch seinen Geist für das Volk den Zustand der Gerechtigkeit aufrichtet, sind zu nennen die Rechtsprechung (vgl. Ri 4,4f; Jes 28,6)[8] und der Krieg (vgl. Ri 5,11 mit 3,9f; Jes 31,3). Als Garant des Rechtes und des Sieges und somit als Vermittler von Jahwes Gerechtigkeit wußte Israel auch den König mit Jahwes Geist begabt (1 Sam 16,13f; Jes 11,1-5)[9].

---

[6] vgl. H. Gese, Dekalog, S.121.

[7] Dazu H. W. Wolff, Hoseas geistige Heimat, (ThLZ 81, 1956) in: ders., Gesammelte Studien zum Alten Testament, ThB 22, 1964, S.232-250; H. J. Kraus, Die prophetische Verkündigung des Rechts in Israel, ThSt(B) 51, 1957; R. Rendtorff, Erwägungen zur Frühgeschichte des Prophetentums in Israel, ZThK 59, 1962, S.145-167. Die Frage, ob man auch dort von „Geistesträgern" reden darf, wo der Begriff רוח nicht erscheint, ist in diesem Zusammenhang nicht entscheidend. Vgl. zu diesem Problem S. Mowinckel, The „Spirit" and the „Word" in the pre-exilic reforming prophets, JBL 53, 1934, S.199-227. Richtig schreibt H. W. Wolff: „Hosea bezieht sich von sich aus ebenso wenig wie die anderen vorexilischen Schriftpropheten auf den ‚Geist'... Jedoch denkt er nicht daran, sich aus der Reihe derer herauszustellen, die als ‚Geistesmänner' im Volke bekannt sind", Dodekapropheton 1, BK, 1961, S.202.

[8] Dazu M. Noth, Amt und Berufung im Alten Testament, (Bonner Akad. Reden 19, 1958) in: ders., Ges. Studien, S.309-333, dort S.325ff.

[9] Die Vorstellung, daß der Gottesgeist auf dem König „ruht", ist kein Indiz dafür, daß Jes 11,1ff aus der nachexilischen Zeit stammt. Gegen G. Fohrer, Das

Dort, wo Jahwes Gerechtigkeit in Zusammenhang mit der Wirkung seines Geistes gebracht ist, ist das Handeln Jahwes als dynamisch-machtvoll, als inspiratorisch und schöpferisch geschildert. Charakteristisch für die Anschauung der vorexilischen Zeit ist, daß hier eine Geistbegabung nur den Führern des Volkes zukommt, nicht aber dem Volk als Ganzem oder seinen einzelnen Gliedern.

2. Die durch die Staatenkrise ausgelösten Wandlungen im Selbstverständnis Israels

Anders verhält es sich in den Texten aus der exilischen und nachexilischen Zeit. Die gewandelte Auffassung von der Wirkung des Gottesgeistes ist zu sehen auf dem Hintergrund der durch die ab dem 8.Jh. über Israel und Juda hereinbrechenden Katastrophen ausgelösten Neubesinnung über das Wesen des Gottesvolkes und der vertieften Reflexion über das Verhältnis Jahwe-Israel[10].

Wo der Segen nicht mehr dem Volk als Ganzem galt, da bahnte sich in Hinblick auf das Gottesvolk und seinen Kultus mehr und mehr die Unterscheidung an zwischen einer äußeren Sphäre des Vorfindlichen und einer inneren Sphäre des von Menschen Unsichtbaren. Es ist eine Subjektivierung der Gottesvolkkonzeption wahrzunehmen, die Hand in Hand geht mit einer Tendenz zur Verinnerlichung des Gottesverhältnisses. Bezeichnend für diese Entwicklung ist die zunehmende Konzentration auf die Verfassung des menschlichen Herzens und die Tendenz zur Spiritualisierung der die Heilsgaben und Heilsmittel bezeichnenden Begriffe. Gedanken, die schon früher in der Weisheit lebendig waren[11], wurden jetzt in die Bundestheologie aufgenommen und dort fruchtbar gemacht.

So wird im Deuteronomium der Einzelne aufgefordert, Jahwe von ganzem Herzen, von ganzer Seele und mit aller Kraft zu lieben

Buch Jesaja I, Zürcher Bibelkommentare, 1960, z.St.; dazu jetzt H. Wildberger, Jesaja I, BK, 1972, S.447f.
[10] Zum Folgenden: G. von Rad, Theologie des Alten Testaments II, 1968[5], S.271ff; H. Gese, Erwägungen zur Einheit der biblischen Theologie, ZThK 67, 1970, S.431ff.
[11] Vgl. H-J. Hermisson, Sprache und Ritus im altisraelitischen Kult, WMANT 19, 1965, S.146f.

(6,5; 10,12; 26,16), die Worte Jahwes im Herzen zu tragen (6,6; 11,18) oder auch das Herz zu beschneiden (10,16). Bei Jeremia wird diese Forderung antithetisch zugespitzt: weder der Tempel, noch das Bekenntnis zu Jahwe, noch der Besitz des schriftlich fixierten Gesetzes, noch die Beschneidung verleihen Israel Gerechtigkeit, solange auf der Tafel seines Herzens die Sünden eingegraben sind, wenn es nicht am Herzen beschnitten ist (7,1-15; 12,2; 8,8f; 17,1; 4,4; 9,24f)[11a]. Für Ezechiel kommt alles an auf die Gerechtigkeit des Einzelnen in der Stunde der Entscheidung (18; 33,12-19). Ein neues Herz und ein neuer Geist, Verwandlung des steinernen Herzens in ein fleischernes sind hier das Gebot der Stunde (18,30-32).

Damit stoßen wir zugleich auf eine andere Seite der vertieften Reflexion über das Gottesverhältnis. Für Israel stand fest, daß derjenige, der an Jahwes Bund teilhat und unter seiner segensreichen Macht steht, Jahwes Willensoffenbarung befolgen kann. Aber auch das Gegenteil galt für das Volk, nämlich, daß wer aus diesem Verhältnis ausgebrochen ist und sich fremder Gewalt unterstellt hat, von sich aus nicht mehr zu Jahwe umkehren kann. Für Hosea ist das Volk unentrinnbar verstrickt in seine Sünden und von einem bösen Geist verblendet (5,1-7). Sogar der Bekehrungswille des Volkes vermag es aus dieser Sklaverei nicht mehr zu erlösen (6,1-4; 8,2). In anthropologisch vertiefter Form reden auch Jeremia und Ezechiel von einer Verstockung und Verblendung, ja von einer wurzelhaften Verderbtheit des Volkes (Jer 13,23; 17,9; Ez 3,7.20; 20,1-31; 23). Auch hier ist zu beobachten, wie Einsichten aus der Weisheit für die Bundestheologie fruchtbar gemacht wurden (vgl. Hi 15,14; Ps 51,7).

Unter das Vorzeichen des Unheils geriet nicht nur die Verfassung des menschlichen Herzens, sondern auch die menschliche Vermittlung der Gottesoffenbarung. Gab es einerseits die Auseinandersetzung mit den „falschen" Führern (Hos 4,4ff; Jer 23,11ff; Ez 13,17-23), so geriet andererseits auch das „wahre" prophetische

---

[11a] P. Volz, Der Prophet Jeremia, KAT, 1928[2], S.75f, streicht in Jer 8,8 das Zweite שֶׁקֶר; der Sinn der Stelle wird dann: „für Trug" oder „in Lügen" arbeitet der Griffel der Schriftgelehrten. Wenn diese Emendation berechtigt wäre, dann würde sich die Spitze Jeremias nicht gegen das Vertrauen auf das Gesetz in seiner schriftlich fixierten Form richten. Dagegen sieht W. Rudolph, Jeremia, HAT, 1968[3], z.St. in Jer 8,8 den Kampf des Pneumatikers mit den Verwaltern des Buchstabens.

Amt hinsichtlich seiner Wirksamkeit in eine Krise (Jer 7,16; 11,14; 15,1; Ez 3,7; 33,30ff).

Dem entspricht, daß dort, wo Heilsverkündigung vorliegt, wo man an Jahwes Bundestreue festhält, das Gnadenverständnis radikalisiert ist. Betont ist jetzt davon die Rede, daß Jahwe seine Gerechtigkeit erweist trotz der menschlichen Ungerechtigkeit und ohne menschliche Vermittlung.

3. Psalm 51

Ein deutlicher Exponent der gewandelten Anschauung ist Ps 51. Es handelt sich um ein individuelles Klagelied, für welches „als terminus a quo die Zeit Jeremias und Ezechiels, als terminus ad quem die Zeit Nehemias"[12] in Frage kommt. In diesem Psalm ist von einer Geistbegabung des Beters im Zusammenhang mit der Bitte um den freien Zutritt zum heiligen Bereich die Rede (V.13).

Kennzeichnend für Ps 51 ist eine weitgehende Tendenz zur Spiritualisierung des Gottesverhältnisses[13]. Die Not des Beters ist eine „innere"; es handelt sich um eine persönliche Verfehlung gegen Jahwe, welche als symptomatisch für die totale kreatürliche Sündhaftigkeit betrachtet wird (V.6f). Dementsprechend besteht nun Jahwes rettendes Handeln in der Vergebung von Sünden und der Umschaffung des Inneren des Beters (V.9-12). In derselben Weise ist auch die Toda spiritualisiert: An die Stelle des Opfertieres tritt das Leiden des Beters (V.18f). Hand in Hand mit der spiritualisierenden Tendenz geht ein gegenüber früheren Zeiten radikalisiertes Gnadenverständnis. Denn nicht nur die erbetene Vergebung und Umwandlung geht auf Jahwes Gerechtigkeit zurück. Sogar die Einsicht in die totale menschliche Verderbtheit beruht auf einer esoterischen Weisheitsbelehrung durch Jahwe (V.8). Ebenso ermöglicht Jahwe durch einen besonderen Akt der Inspiration das Bekenntnis bei der Toda (V.17).

Die Aussage über den Geist in V.13f ist im Zusammenhang mit beiden aufgezeigten Tendenzen zu verstehen. Es ist ein Ausdruck spiritualisierten Kultverständnisses, wenn an die Stelle des kultischen Heilsorakels jetzt die persönliche Führung durch den dem

[12] So H-J. Kraus, Psalmen I, BK, 1966³, z.St.
[13] Dazu vor allem H. Gese, Psalm 22 und das Neue Testament, ZThK 65, 1968, S.1-22, dort S.20f; ders., Erwägungen, S.429f.

Beter innewohnenden prophetischen Gottesgeist und an die Stelle
der mit dem Orakel verbundenen „Wegweisung" jetzt die Unterstützung durch einen „willigen Geist" treten. Und es ist Ausdruck
eines radikalisierten Gnadenverständnisses, wenn das dauerhafte
Wirken des Geistes auf dem Hintergrund einer allgemeinen und
totalen menschlichen Verderbtheit geschildert wird. Im Ansatz
findet man hier die Vorstellung eines fortwährenden Nebeneinanders
von sündhafter kreatürlicher Existenz und Gerechtigkeit ermöglichendem göttlichen Geist[14].

Wenn in Ps 51 die Rechtfertigung des Beters durch den heiligen
Gottesgeist geschieht, so ist dieser Geist zunächst in seiner prophetischen Funktion, als Vermittler des Heilsorakels zu betrachten.
Als wegweisender Geist hat er aber auch eine helfende Funktion:
In Hinblick auf die schwache menschliche Existenz verleiht er
Kraft zum gerechten Wandel und wird so zum „willigen Geist"
des Beters. Hier besteht somit ein sehr enger Zusammenhang
zwischen der Gabe des neuen menschlichen Herzens und der Wirkung des Gottesgeistes. Im Rahmen des spiritualisierten Kultverständnisses ist es nicht auszuschließen, daß in diesem Psalm
auch die Reinigung des Beters als Funktion des Gottesgeistes
verstanden ist[15].

4. Die Heilsprophetien aus der Exilszeit

Neben die Gerichtsandrohung tritt bei den Propheten aus der
Zeit der babylonischen und persischen Herrschaft die Heilsankündigung, daß Jahwe das gebrochene Verhältnis zwischen sich
und Israel auf wunderbare Weise erneuern wird. Ausgemalt wird,

---

[14] Trotz der Ausführungen von H. Graf Reventlow, Rechtfertigung, S.86-102,
besonders S.99ff, ist daran festzuhalten, daß hier gegenüber einer früheren
Zeit die Akzente neu gesetzt sind.

[15] Wie in Ps 51 steht auch in Ps 143 die Gabe des göttlichen Geistes im
Zeichen des rechtfertigenden Handelns Gottes. Wie dort ist auch hier die
allgemeine menschliche Verderbtheit vorausgesetzt (V.2). Übereinstimmung
besteht ebenso darin, daß auch in Ps 143,10 mit der Führung durch Jahwes
Geist – hier Jahwes „guter Geist" genannt – das Heilsorakel bzw. die vom
Orakel gegebene Wegweisung gemeint ist. Anders als dort ist hier jedoch
keine besondere spiritualisierende Tendenz sichtbar. Somit dürfte bei der
Führung durch den göttlichen Geist eher an den Spruch des Kultpropheten
als an eine Führung im Rahmen einer allgemeinen Geistbegabung gedacht sein.

wie Jahwe das Gottesvolk neu schaffen, wieder Gerechtigkeit ermöglichen und Segen schenken wird.

a. Nach den Heilsweissagungen im *Jeremia*buch wird Jahwe im Rahmen einer Bundeserneuerung die Gerechtigkeit des Volkes einmal dadurch ermöglichen, daß er die Herzen verwandelt (24,7; 32,38ff) und sodann dadurch, daß er die Offenbarung seines Willens einem jeden direkt ohne menschliche Vermittlung zuteil werden läßt (31,31ff)[16]. Von einer allgemeinen Geistbegabung ist in diesem Zusammenhang bei Jeremia nicht die Rede. Das ist dagegen wohl der Fall bei Ezechiel und Deuterojesaja.

b. Im Zentrum der Heilsverheißungen *Ezechiels* steht die sog. Bundesformel: „sie werden mein Volk sein, und ich werde ihr Gott sein" (11,20; 14,11; 36,28; 37,23.27)[17].

Nach 36,22-28 wird Jahwe das Verhältnis mit Israel wiederherstellen, indem er das Volk aus dem Exil ins Erbland zurückführt, es von Sünden reinigt, sein Inneres neuschafft und ihm seinen eigenen Geist verleiht. Die Gabe des göttlichen Geistes dient dazu, Israels Gerechtigkeit bzw. seine Heiligkeit in der Zukunft zu gewährleisten. Die Reihenfolge: Reinigung, Erneuerung des menschlichen Geistes, Gabe des göttlichen Geistes ist dieselbe wie in Ps 51. Doch sind diese verschiedenen Elemente nicht in derselben Weise aufeinander bezogen wie dort. Auszugehen ist auch hier davon, daß der göttliche Geist der den göttlichen Willen offenbarende prophetische Geist ist, der jetzt jedem Einzelnen zuteil wird. Durch die Gabe des Geistes wird die Krise des theologischen Lehramtes aufgehoben sein (vgl. 34,10ff). Anders als in Ps 51 ist jedoch aus dem Text nicht ersichtlich, ob dem göttlichen Geist eine besondere unterstützende Funktion zukommt in Hinblick auf die Schwäche des menschlichen Herzens. Es ist nicht anzunehmen, daß für Ezechiel auch noch das neue von Gott geschenkte Herz von der Schwäche bedroht sein wird. Ohne Zweifel stehen die Verheißung des neuen menschlichen Herzens und die

---

[16] Dazu W. Lempp, Bund und Bundeserneuerung bei Jeremia, Diss. Masch. Tübingen, 1954; G. von Rad, Theologie II, S.220ff; S. Herrmann, Die prophetischen Heilserwartungen im Alten Testament, BWANT 85, 1965, S.179ff.195ff.

[17] Zu dieser Formel: R. Smend, Die Bundesformel, ThSt(B) 68, 1963.

der Gabe des göttlichen Geistes nicht beziehungslos nebeneinander, ihre Funktionen sind jedoch zu unterscheiden[18]. Auch ist im Rahmen des konkreten kultischen Denkens Ezechiels eine besondere Beziehung zwischen der Gabe des göttlichen Geistes und der Reinigung des Menschen nicht anzunehmen.

Eine andere Vorstellung wird in Kap.37 sichtbar. In der Vision V.1-10 wird die Rekonstitution des Gottesvolkes als Wiederbelebung vom Tode geschildert. Die Wiederbelebung kommt zustande durch das prophetische Gotteswort, das über die רוח gebietet. Der Begriff רוח bezeichnet hier den physischen Lebensatem, welcher als von den vier Winden getragenes und den Kosmos durchwaltendes Element vorgestellt wird. In der anschließenden Deutung V.11-14 wird konkret von der Rückkehr des Volkes aus dem Exil gesprochen. Die רוח ist hier Jahwes רוח, sein Lebensatem, seine Schöpfungsmacht, durch die er Leben im umfassenden Sinne erweckt (vgl. Ps 104,30). In der erneuten Aussendung des Lebensatems wiederholt Jahwe das am Anfang gesprochene Wort: חיי (16,6)[19]. Wie dem direkten Kontext zu entnehmen ist, bezieht sich die lebenschaffende Wirkung des Gottesatems mehr auf die äußere Existenz des Gottesvolkes, auf seine Rekonstitution durch die Rückkehr aus dem Exil. Wenn aber V.14 eine spätere Deutung des Visionsgeschehens darstellt[20], dann ist damit zu rechnen, daß ein Bezug zu 36,27 vorliegt, und daß stärker an die innere Wiederbelebung des Volkes durch die Gabe des prophetischen Geistes gedacht ist.

---

[18] Bei der Auslegung dieses Textes wird V.27 häufig als eine erläuternde Interpretation von V.26 gedeutet, ohne daß nach der besonderen Funktion des Gottesgeistes gefragt wird. So z.B. Th. C. Vriezen, De Heilige Geest, S.35; H. Graf Reventlow, Rechtfertigung, S.95.

In Hinblick auf die Zusammengehörigkeit der Umwandlung des menschlichen Herzens mit der Gabe des göttlichen Geistes sei hier noch darauf hingewiesen, daß in der frühen prophetischen Bewegung die Wirkung des göttlichen Geistes mit einer Umwandlung des menschlichen Herzens verbunden war (1Sam 10,6.9). Bekanntlich greift Ezechiel öfter auf die Traditionen der Vorschriftprophetie zurück. War jedoch in der frühen Prophetie die Verwandlung des Herzens Ausdruck der Ekstase, so geht es Ezechiel dabei um die Schaffung eines bewußten Personenzentrums.

[19] Vgl. W. Zimmerli, „Leben" und „Tod" im Buche des Propheten Ezechiel, (ThZ 13, 1957) in: ders., Gottes Offenbarung, S.178-191, dort S.191.

[20] So neuerdings wieder D. Baltzer, Ezechiel und Deuterojesaja, BZAW 121, 1971, S.107f; anders W. Zimmerli, Ezechiel 2, BK, 1969, S.888f.

Auch in dem redaktionellen Nachtrag zur Gogperikope, 39,25-29, ist von einer allgemeinen Geistbegabung die Rede[21]. Nach V.29 bedeutet die Geistausgießung die endgültige Zuwendung des Angesichts Jahwes. Trotz des anderen Wortlauts – שפך על statt (קרב) נתך ב – ist anzunehmen, daß hier auf 36,27 und 37,14 zurückgegriffen ist. Im Zusammenhang mit der Gogperikope bekommt die Geistverheißung jetzt einen neuen Akzent. Die Gabe des Geistes bedeutet nach 39,29 die Heilsgegenwart Jahwes, die im äußeren Frieden sichtbar wird. Die beiden Funktionen des Orakels, Offenbarung des Willens Jahwes und tätige Heilshilfe, sind hier in der allgemeinen Geistbegabung vereinigt.

Das in den Heilsverheißungen des Ezechielbuches geschilderte Israel ist, wenn man paulinische Terminologie verwenden darf, ein Israel κατὰ πνεῦμα. Nur ist hier, da Israel als nationale Größe angesprochen ist, die paulinische Unterscheidung zwischen einem Israel κατὰ πνεῦμα und einem Israel κατὰ σάρκα nicht anwendbar. Die ganze Existenz des Gottesvolkes, seine Gerechtigkeit, sein Segen und sein Leben, geht auf die Gabe des göttlichen Geistes zurück. Nur durch die Gabe des göttlichen Geistes ist es möglich, daß sowohl Jahwe wieder in Israel Wohnung nimmt als auch Israel freien Zutritt zu seiner kultischen Gegenwart hat.

Die allgemeine Geistbegabung ist ein Element, in dem nach der Darstellung Ezechiels der neue Bund über den alten hinausragt. Durch die Rede vom Geist ist die wunderbare Alleinwirksamkeit Jahwes betont. Trotz Israels Ungerechtigkeit und ohne menschliche Vermittlung schafft Jahwe neues Leben.

c. Von anderer Art ist die Heilsverkündigung *Deuterojesajas*. Sie nimmt ihren Ausgangspunkt in Jahwes Treue als Gott Israels und als Schöpfer bzw. König der Welt. Jahwes Gerechtigkeit manifestiert sich für Dtjes vor allem in seinen geschichtlichen Taten. Jahwe wird selber zum Zion zurückkehren, das verbannte Israel heimholen, aufs neue Segen schenken und die Völker zu diesem Heil einladen. Auf menschlicher Seite entspricht dem das Bekenntnis zu Jahwes Gottheit und die Erkenntnis seiner Heilstaten (41,20; 43,10; 44,5; 45,23f). Auffällig ist, daß dabei von Jahwes Willens-

---

[21] Zum redaktionellen Charakter vgl. S. Herrmann, a.a.O. S.274f; W. Zimmerli, Ezechiel, z.St.

offenbarung, wie diese in der Sinaitradition entfaltet wurde, mit keinem Wort die Rede ist[22]. Wenn von einer ברית gesprochen wird, so ist nicht ein neuer Sinaibund, sondern ein neuer Noahbund oder ein demokratisierter Davidbund gemeint (54,9f; 55,3ff). Charakteristisch für die Verkündigung Deuterojesajas ist die Gattung des kultischen Heilsorakels. In der Verwendung dieser Verkündigungsform ist ausgedrückt: Jahwe hat sich Israel wieder zugewandt, er ermöglicht neu Gerechtigkeit und Segen, Israel hat wieder freien Zutritt zu ihm. In einem dieser Heilsorakel, 44,1-5, wird nun auch von einer allgemeinen Geistbegabung gesprochen. Das Orakel kündigt den Heilszustand für das wiedergekehrte Gottesvolk an und redet in diesem Zusammenhang von einer Ausgießung des Geistes Jahwes über die kommenden Geschlechter. Jahwes רוח, von der hier in Parallelität zu Jahwes ברכה gesprochen wird, bezeichnet hier die lebenschaffende Macht Gottes, die Fruchtbarkeit und Wachstum des Gottesvolkes bewirkt. Läßt V.3f an Fruchtbarkeit im physischen Sinne denken, so steht in V.5 der geistliche Segen im Vordergrund[23]. Der geistgewirkte Segen schließt das rechte Verhältnis des Volkes zu Jahwe mit ein, denn die Ausgießung des Geistes ermöglicht das Bekenntnis zu Jahwe. In der Auslegung wird nun weitgehend angenommen, V.5 rede vom Wachsen der Gemeinde durch das Hinzutreten der Nicht-Israeliten, die sich zu Jahwe bekennen[24]. Das heißt, daß hier das Israel κατὰ πνεῦμα die Grenzen des Israel κατὰ σάρκα durchbricht. In Jes 44,1-5 „liegt der Durchbruch zu einem neuen Verständnis des Gottesvolkes als der sich zu Jahwe bekennenden Gemeinde"[25]. Das subjektivistische Verständnis dessen, was „Israel" ist, geht hier Hand in Hand mit einer universalistischen Tendenz.

Die Anschauung, daß die Fruchtbarkeit des Gottesvolkes nur Jahwes segnendem Handeln zu verdanken ist, begegnet auch in

---

[22] 42,21.24; 48,18; 51,7f sind spätere Zusätze; vgl. C. Westermann, Das Buch Jesaja, Kap.40-66, ATD, 1966, z.St.

[23] Nach G. Fohrer, Das Buch Jesaja III, Zürcher Bibelkommentare, 1964, S.72, ist V.5 ein späterer Zusatz. Doch läßt sich diese Annahme nicht ausreichend begründen.

[24] Vgl. P. Volz, Jesaja II, KAT, 1932, z.St.; C. Westermann, Jes., z.St.; D. Baltzer, a.a.O. S.171 Anm.161.

[25] So Westermann, a.a.O. S.112.

44

hervorgehobener Weise in den Vätergeschichten. Doch wird in den vorexilischen Texten der Segen nie als Wirkung des Gottesgeistes betrachtet. Durch die Verwendung des Geistbegriffes in Jes 44,1-5 ist der dynamisch-schöpferische Charakter des Handelns Jahwes unterstrichen. Nur als Einbruch des Himmlischen auf Erden ist die Fruchtbarkeit der Unfruchtbaren zu verstehen (vgl. 54,1ff; 49,19ff). Das dynamische Element im Handeln Jahwes ist einmal darin zu sehen, daß es sich um eine Neuschöpfung nach dem Zusammenbruch des Gottesvolkes handelt. Zum anderen liegt es darin, daß jetzt die Grenzen des alten Gottesvolkes durchbrochen werden.

Für Deuterojesaja überbietet die Doxa der neuen Heilsordnung die Doxa der alten (vgl. 43,18ff; 52,12)[26]. Auch die Gabe des Gottesgeistes gehört zur Doxa der neuen Heilsordnung. In der Geistesgabe ist die Existenz Israels aufs neue und in einer neuen Weise begründet[27].

---

[26] Dazu H-J. Kraus, Schöpfung und Weltvollendung, EvTh 24, 1964, S.462-485, dort S.470ff; G. von Rad, Theologie II, S.256f.

[27] Anhangsweise sei auch auf Jes 42,1-4 und 32,15-20 hingewiesen. Wenn man davon ausgeht, daß mit dem Gottesknecht in 42,1-4 Israel gemeint ist (so neuerdings wieder H. Gese, Erwägungen, S.428.433; dagegen aber K. Elliger, Jesaja II, BK, 3.Lfr., 1972, S.198ff), dann ist auch hier von einer allgemeinen Geistbegabung die Rede. Trägt das Bild des Gottesknechtes einerseits prophetische Züge, so läßt andererseits der öffentliche Charakter der Designation in V.1 bei der Geistbegabung eher an das Königscharisma denken. Der Vergleich mit 55,1-5 drängt sich auf. Hier verwirklicht Jahwe die Einladung an die Völker zum Heil in der Weise, daß er den Davidbund auf Israel als Ganzes übergehen läßt. Dieselbe Mittlerstelle, die einst David zwischen Gott und Volk innehatte, kommt jetzt dem Volk zwischen Gott und den Völkern zu (dazu Gese, a.a.O. S.433). Wenn diese Interpretation richtig ist, dann befähigt Jahwe nach 42,1 durch die Gabe seines Geistes das Volk dazu, sein Recht wirksam in der Welt durchzusetzen. Das Heilswort Jes 32,15-20 ist, wie G. Fohrer (Das Buch Jesaja II, Zürcher Bibelkommentare, 1967², z.St.) wahrscheinlich gemacht hat, unter Aufnahme der deutero- und tritojesajanischen Verkündigung im Gegensatz zu 32,9-14 gebildet. In V.15 wird ausdrücklich das עד–עולם von V.14 korrigiert. Die angedrohte Verödung von Stadt und Land wird nach diesem Wort durch die Ausgießung der רוח ממרום wieder aufgehoben. Recht und Gerechtigkeit und damit Frieden und Sicherheit werden durch die Geistesgabe wiederhergestellt. משפט und צדקה bezeichnen hier die segensreiche Ordnung der Natur (dazu K. Koch, Sdq im Alten Testament, Diss. Masch. Heidelberg, 1953, S.50). Wie die Wirkungsart des Geistes hier gedacht ist, ist jedoch

5. *Der Übergang von der prophetischen zur apokalyptischen Eschatologie*

Trotz der Wiederherstellung der Heilsgemeinde durch die Rückkehr der Deportierten und den Wiederaufbau des Tempels hat man in der nachexilischen Zeit die prophetische Verheißung einer allgemeinen Geistausgießung nur äußerst selten auf die Gegenwart bezogen[28]. Dagegen wurden diese Prophetien von einer Oppositionsbewegung, die sich gegen die kultisch-theokratische Erstarrung wandte, wieder aufgenommen und in eine ferne Zukunft transponiert. Der Übergang von der prophetischen zur apokalyptischen Eschatologie ist hier wahrzunehmen[29].

a. Ein deutliches Zeugnis der gewandelten Anschauung ist *Joel 3*. In Joel 3-4 wird der Tag Jahwes angekündigt, der das Gericht über die Völker und damit die endgültige Restitution Israels und Reinigung Jerusalems bringen wird. Anders als in der früheren Prophetie fehlt zu dieser Verkündigung der aktuelle geschichtliche Anlaß. Hatte der Prophet in Kap.1-2 noch einen Heuschreckeneinfall zum Anlaß für die Erneuerung der prophetischen Eschatologie genommen, so ist dieses Ereignis, nachdem in 2,18ff die Wende zum Heil beschrieben ist, nur noch in sehr indirektem Sinne der Anlaß für das in Kap.3-4 Verkündigte[30]. Dem entspricht, daß das angekündigte Ereignis die geschichtlichen Dimensionen weit übersteigt. Es ist in eine unbestimmte Ferne gerückt und ins kosmisch Dramatische gesteigert.

Bezeichnend ist nun, wie in diesem Rahmen die alte Verheißung einer allgemeinen Geistausgießung umgedeutet wird (3,1ff). Dem

nicht ganz klar. Entweder ist der Geist hier Gottes lebenschaffende Kraft im physischen Sinne, oder der Geist schafft die Umkehr des Volkes bzw. ihrer Führer und damit die Vorbedingung für den Segen in der Natur.

[28] Man könnte hier auf Hag 2,4f hinweisen. Doch ist nicht ganz sicher, ob Haggai bei der Gegenwart Gottes durch seinen Geist an eine allgemeine Geistbegabung oder an eine Führung durch besondere Geistesträger, insbesondere durch Serubbabel, denkt (vgl. 2,23). In Jes 51,7 wird Jer 31,31ff als in der Gegenwart erfüllt betrachtet.

[29] Dazu Th. C. Vriezen, Prophecy and Eschatology, Suppl. VT I, 1953, S.199-229, dort S.219; O. Plöger, Theokratie und Eschatologie, WMANT 2, 1959.

[30] Die Frage, ob man den Grundbestand von Kap.3-4 demselben Autor wie dem von Kap.1-2 zuschreibt oder nicht, ist dabei nicht entscheidend.

Wortlaut nach zu urteilen, ist hier vor allem auf Ez 39,29 Bezug genommen[31]. Mit Ezechiel versteht auch Joel die Gabe des Geistes als Gabe der Prophetie. Anders als dort dient hier jedoch die Geistesgabe nicht dazu, ein neues dauerhaftes Gottesverhältnis zu ermöglichen im Rahmen einer geschichtlichen Fortexistenz des Volkes nach der Rekonstitution. Die prophetische Begabung ganz Israels wird hier zusammen mit den die Völker betreffenden kosmischen Katastrophen zu den wunderbaren Begleiterscheinungen des Tages Jahwes gerechnet. Dementsprechend liegt der Ton auf dem ekstatischen und revolutionären Element der Geistausgießung[32]. Die Begleiterscheinungen stehen jedoch keineswegs ohne eine innere Beziehung zu dem eigentlichen Geschehen da. Während die kosmischen Zeichen – auf Erden Blut, Feuer und Rauch, am Himmel Verwandlung von Sonne und Mond – Wirkung und Ausmaß der Vernichtungsschlacht gegen die Völker beschreiben (vgl. 4,15f), steht die Geistbegabung im Zeichen der Errettung Israels[33]. Nur die mit dem Geist Begabten gehören zu dem Volk, das „den Namen Jahwes anruft", zu den „Entronnenen, die Jahwe beruft" (3,5), zu denen, die Zutritt haben zur heiligen Stadt (4,17).

O. Plöger hat wahrscheinlich gemacht, daß in 3,5 von einem Schichtungsprozeß innerhalb des Gottesvolkes die Rede ist, daß sich also für den Propheten das eschatologische Israel nicht mit dem jetzigen empirischen Israel deckt[34]. Wenn das richtig ist, dann ist das Israel κατὰ πνεῦμα, das den Zutritt zur heiligen Stadt hat, für Joel nicht nur eine zukünftige, sondern auch eine rein geistliche Größe.

b. Auch auf *Jes 59,21* ist in diesem Zusammenhang hinzuweisen. Das Wort gehört wahrscheinlich zu den spätesten Schichten der tritojesajanischen Sammlung. Es spricht von einer ברית Jahwes an bzw. mit Israel, deren Inhalt eine ewigdauernde Geist-

---

[31] Vgl. H. W. Wolff, Dodekapropheton 2, BK, 1969, S.10f.71.78ff; W. Zimmerli, Ezechiel 2, S.970.

[32] Es ist fraglich, ob man לפני in V.4 mit „bevor" übersetzen darf, wodurch ein zeitlicher Unterschied zwischen den „Zeichen" und dem Kommen des Tages selbst angedeutet wird. Mehr spricht für die allgemeine Übersetzung „angesichts".

[33] Vgl. Plöger, a.a.O. S.125; Wolff, a.a.O. S.79.

[34] a.a.O. S.124ff; vgl. auch Wolff, a.a.O. S.82.

begabung ist. Ohne Zweifel ist dabei an eine prophetische Begabung gedacht. Wenn man mit z.B. Fohrer[35] annimmt, daß das Wort ein beabsichtigter Zusatz zu 59,1-20 ist, dann ist eine sinnvolle Deutung möglich. Die prophetische Liturgie 59,1-20 antwortet auf eine Klage über das Ausbleiben der Offenbarung von Jahwes helfender Gerechtigkeit. Nun ist aber mit der Offenbarung von Jahwes Gerechtigkeit hier nicht die Verwirklichung des Heils im vollen geschichtlichen Sinne gemeint, wie das in der älteren Prophetie und noch bei dem Autor von Jes 60-62 der Fall war. Die Offenbarung der Gottesgerechtigkeit bedeutet hier die endzeitliche Scheidung von Gerechten und Ungerechten innerhalb der Gemeinde[36]. Ebenso wie sich die Feindklage in V.4-8 auf Frevler in der Gemeinde bezieht, so bringt nach V.15b-20 Jahwes Erscheinen zum Kampf gegen die Feinde und zur Errettung des Zions Erlösung nur für die Frommen innerhalb der Gemeinde. Der Zusatz V.21 besagt in diesem Zusammenhang, daß Jahwe nach der endzeitlichen Scheidung von Gerechten und Gottlosen durch die Gabe des Geistes für die ersteren einen ewigen sündlosen Zustand ermöglichen wird.

Was der Inhalt der prophetischen דברים ist, hängt davon ab, was mit der beschriebenen פשע gemeint ist. Handelt es sich dabei um Verfehlungen gegen das Gottesrecht, so ist der Begriff דברים hier im deuteronomischen Sinne als Bezeichnung der Willensoffenbarung Jahwes zu verstehen. Besteht aber die פשע in Skepsis gegenüber dem eschatologischen Glauben, so sind mit den דברים die prophetischen Heilsverheißungen gemeint.

Wie in Joel 3 gilt auch hier: das Israel κατὰ πνεῦμα, das durch keine Sünden mehr von Jahwe getrennt ist und den freien Zutritt zu ihm hat, ist nicht nur eine zukünftige, sondern auch eine rein geistliche Größe[37].

c. Der Übergang zur apokalyptischen Eschatologie ist auch in *Sach 12,10* sichtbar. In 12,9ff wird angekündigt, daß Jahwe durch

---

[35] Jesaja III, z.St.
[36] Vgl. Westermann, Jesaja, S.274ff.
[37] Die Interpretation von V.21 wird nicht wesentlich anders, wenn man mit z.B. Westermann (a.a.O. S.338 Anm.1) die ursprüngliche Stellung des Verses zwischen 66,20 und 22 sieht, denn auch dort würde das Wort im Zusammenhang einer apokalyptisch dualistischen Schau zu deuten sein.

ein wunderbares Eingreifen, durch eine Geistausgießung und durch die Eröffnung einer Wunderquelle eine innere Umwandlung der Bewohner Jerusalems bewirkt wird. Apokalyptische Züge bekommt das Geschehen dadurch, daß es im Rahmen einer eschatologischen Errettung Jerusalems vor einem Völkersturm geschildert wird, wobei kein Bezug auf geschichtliche Ereignisse sichtbar ist[38]. Bei der Ankündigung einer Geistausgießung dürfte vor allem auf die Prophetie Ezechiels Bezug genommen sein[39]. Statt eines Geistes der Prophetie wird hier jedoch ein „Geist der Rührung und des Ergriffenseins"[40] angesichts eines Durchbohrten angekündigt. Die Umdeutung der alten Prophetie bekäme einen klaren Sinn, wenn es sich bei dem Durchbohrten um eine prophetische Gestalt handelte. Zu beachten ist, daß in 13,2ff die durch die Wunderquelle bewirkte Reinigung vor allem auf die Ausrottung der Prophetie bezogen wird. Eine solche Deutung von 12,10 bleibt jedoch unsicher.

6. Die Apokalyptik

Die Heilsaussagen der apokalyptischen Literatur stehen im Zeichen eines eschatologischen Dualismus. Die Krise des jüdischen Glaubens im hellenistischen Zeitalter[41] führte in chassidischen Kreisen zu einer radikalen Umgestaltung des prophetischen Geschichtsverständnisses. Nunmehr wurde die ganze Weltgeschichte, ja alles Irdische überhaupt unter einem negativen Vorzeichen gesehen und dementsprechend das Heil, das den Gerechten zugesprochene Erbe, nicht nur als ein zukünftiges, sondern auch im Wesentlichen als ein jenseitiges betrachtet. Die Einteilung der Weltgeschichte in mehrere Epochen, die in der frühen Apokalyptik verbreitet war, machte mehr und mehr einer Einteilung in zwei Äonen Platz, einem seinem Wesen und seiner Substanz nach irdischen und einem himmlischen Äon.

Von himmlischem Charakter ist das eschatologische Heil da,

---

[38] Dazu K. Elliger, Das Buch der zwölf kleinen Propheten II, ATD, 1967[6], S.167ff; O. Plöger, a.a.O. S.97ff.

[39] Die Verbindung von Völkeransturm und Geistausgießung erinnert an Ez 38f, die von Geistausgießung und Reinigung an Ez 36,25ff.

[40] So übersetzt Elliger, a.a.O. S.166,170 mit Recht רוח חן ותחנונים.

[41] Dazu M. Hengel, Judentum und Hellenismus, WUNT 10, 1969, S.329.354ff.

wo es mit der Vorstellung einer Totenauferstehung verbunden ist. Die astralen Motive und die Doxaprädikate weisen darauf hin, daß man das Leben nach der Auferweckung als ein Leben auf einer verwandelten Erde in einer himmlischen, engelgleichen Leiblichkeit dachte (vgl. Dan 12,2; äthHen 51; ApkBar(syr) 51). Noch radikaler jenseitig ist das Heil dort gedacht, wo man, wohl mit unter Einfluß der hellenistischen Anthropologie und „Eschatologie", die Erhöhung der vom Körper getrennten Seelen bzw. Geister in den himmlischen Bereich als das entscheidende Heilsereignis betrachtete (vgl. äthHen 71,16; 103,2ff; 104,2ff)[42].

Anteil am zukünftigen Heil bekommt der Mensch nach apokalyptischer Anschauung nur, indem er in eine himmlische Substanz verwandelt bzw. in die himmlische Welt versetzt wird. Ist die Substanz der irdischen Bewohner Fleisch und Blut, so sind die Bewohner der himmlischen Welt Geistwesen, πνεύματα. Wenn auch hier terminologisch Vorsicht geboten ist, so kann man doch sagen, daß, wer am eschatologischen Heil Anteil bekommt, in die „Pneumasphäre" versetzt wird bzw. in „Pneumasubstanz" verwandelt wird[43].

Die Vorstellung von der Versetzung in die pneumatische Welt ist nicht zu verwechseln mit der der Begabung mit dem göttlichen Geist. Doch können beide Vorstellungen in der Apokalyptik eng zusammenrücken. Das ist z.B. der Fall in der Erzählung von Henochs Entrückung in äthHen 70-71. Henochs Aufstieg zur Thronsphäre Gottes wird hier einerseits geschildert als Aufstieg seines Geistes und andererseits als Entrückung des ganzen Menschen mit Leib und Seele durch den Geist Gottes (vgl. 70,1f; 71,5.11 mit

---

[42] Die Vorstellung von der Auferstehung ist jedoch in der Apokalyptik oft kaum von der der Erhöhung zu unterscheiden. Vgl. K. Schubert, Die Entwicklung der Auferstehungslehre von der nachexilischen bis zur frührabbinischen Zeit, BZ NF 6, 1962, S.117-214; E. Brandenburger, Fleisch und Geist, S.60-85; M. Hengel, a.a.O. S.357-365.

[43] Vgl. Brandenburger, a.a.O. S.65ff. Wenn man diese Terminologie verwendet, dann ist zu bedenken: a. während vom „Fleisch" im Sing. gesprochen werden kann, die irdische Substanz also als eine Einheit betrachtet wird, ist von den himmlischen „Geistern" fast nur im Plur. die Rede. b. Für „Geist" steht auch häufig „Seele"; man könnte die himmlische Sphäre also auch als „Psychesphäre" bezeichnen. c. Wenn auch die Geister eine gewisse Leiblichkeit besitzen, so erscheint das Pneuma doch nicht in demselben Sinne wie bei Paulus als Substanz des himmlischen Leibes.

71,1.6). Der himmlische Lobpreis erscheint als ein ekstatisches Geschehen, bei dem der Leib Henochs zusammenschmilzt, sein Geist sich verwandelt und ihm ein „Geist der Kraft" geschenkt wird. Der Zutritt zur Thronsphäre Gottes wird hier ermöglicht durch einen Prozeß der Verwandlung und Geistbegabung. Schwierig zu entscheiden jedoch ist die Frage, ob das hier geschilderte Geschehen prototypisch für das Geschick aller Gläubigen ist, oder ob die Geistbegabung mit der besonderen Stellung Henochs zusammenhängt. Hinzuweisen ist in diesem Zusammenhang auch auf äthHen 61,7.11, wo der Lobpreis der himmlischen Geister „im Geiste", und zwar im Geist des Lebens und im Geist der sieben Engelstugenden geschieht.

Spielt also das Element Pneuma bei der Frage nach dem Eintritt in den zukünftigen Äon eine nicht unwichtige Rolle, so ist doch die Tatsache auffällig, daß in der apokalyptischen Literatur in diesem Zusammenhang nicht oder nur am Rande – das hängt davon ab, wieweit man den Begriff „apokalyptisch" faßt – Bezug genommen wird auf die prophetischen Verheißungen einer allgemeinen Geistausgießung. Ein deutlicher Bezug auf Ez 36,26f liegt vor in dem in mancher Hinsicht der Apokalyptik nahestehenden Jubiläenbuch. In 1,23 verheißt Gott Mose, daß er seine Gerechtigkeit Israel gegenüber dadurch erweisen werde, daß er ihm in der Endzeit das Herz beschneidet, ihm einen heiligen Geist schafft und ihn rein macht. Doch ist hier nicht an die Gabe des göttlichen Geistes, sondern an die Erneuerung des menschlichen Geistes gedacht[44]. Dasselbe gilt auch für 4Esr 6,26, wo gesagt wird, daß in der Endzeit das Herz der Erdenbewohner in einen neuen Geist verwandelt wird. Nur in der hellenistisch-jüdischen Parallele zur palästinensischen Apokalyptik, in der Sammlung der Sibyllinischen Orakel, ist einmal die Rede von einem Jerusalem, dessen Einwohner alle Propheten sein werden (5,582). Möglicherweise ist hier Ez 36,27 oder dessen Interpretation Jo 3,1ff aufgenommen[45].

Die Frage, ob das Fehlen der prophetischen Verheißungen zu-

---

[44] Gegen z.B. W. Nauck, Die Tradition und der Charakter des ersten Johannesbriefes, WUNT 3, 1957, S.158f; P. Stuhlmacher, Gerechtigkeit Gottes, S.167; E. Käsemann, Paul. Persp., S.249.

[45] In Sib 3,45f.186f ist bei der Gabe des Geistes wahrscheinlich an Lebenskraft im physischen Sinne gedacht. Vgl. E. Sjöberg, Art. πνεῦμα κτλ. C III, ThW VI, dort S.383 Anm. 286.

fällig ist oder ob hier innere Gründe mit im Spiel sind, läßt sich nicht eindeutig beantworten. Zur Erklärung dieses Sachverhalts könnte man hinweisen auf die ausgeprägte Prädestinationsvorstellung und den radikalen Subjektivismus im Gottesvolkverständnis, wie sie sich z.B. in manchen Schichten der Henochliteratur finden. Dort, wo die prädestinierten Gerechten sich schon in der Gegenwart aus dem nationalen Israel gelöst haben, kann das Heil nur noch die Befreiung von der äußeren Not, die Erlösung aus der gottlosen und vergänglichen Welt bedeuten. Dort ist für die Erwartung einer inneren Umwandlung, wie sie in der prophetischen Erwartung einer allgemeinen Geistbegabung ausgedrückt ist, kein Platz. Für andere Schriften, wie z.B. den vierten Esra, lassen sich ähnliche Gründe jedoch nicht nachweisen[46].

Mit der Geistbegabung in der Gegenwart hat es in der apokalyptischen Literatur eine besondere Bewandtnis. Bedenkt man die dualistische Struktur des Weltbildes in der Apokalyptik, so ist es nicht verwunderlich, daß mehrmals von einer Geistbegabung in der Gegenwart gesprochen wird. Die Gerechtigkeit der Gerechten, ihre Weisheit, die sowohl die Erkenntnis des göttlichen Willens als auch die Einsicht in die Geheimnisse der Weltgeschichte umfaßt, gilt als vor der Welt verborgen und auf einer besonderen Erleuchtung beruhend. Die Autoren der Apokalypsen verstehen sich als inspirierte Weise, als Erben der Propheten, als Geistesträger (vgl. äthHen 91,1; 4Esr 5,22; 14,22). Allerdings gilt die Geistbegabung nur den besonderen Gerechten, den theologischen Lehrern, diese wiederum schreiben im Namen der großen Gerechten der Vorzeit[47]. Dagegen läßt sich die Vorstellung einer allgemeinen Geistbegabung in der Gegenwart in der apokalyptischen Literatur

---

[46] Nach A. Schweitzer, Mystik, S.160,163, hängt das Zurücktreten der Vorstellung der allgemeinen Geistbegabung mit dem „transzendentalen" Charakter der Zukunftserwartung zusammen. In Hinblick auf äthHen 49,3; 62,2, wo dem himmlischen Menschensohn im Anschluß an Jes 11,2 eine Geistbegabung zugeschrieben wird, wie auch in Hinblick auf äthHen 70f läßt sich das aber nicht halten.

Eher ist von Rads These in Betracht zu ziehen, daß die Apokalyptik ihrer Herkunft nach nicht von der Prophetie, sondern von der Weisheit her zu verstehen ist (Theologie II, S.316-323). Zur Auseinandersetzung mit v.Rad: P. v.d. Osten-Sacken, Die Apokalyptik in ihrem Verhältnis zu Prophetie und Weisheit, ThEx 157, 1969.

[47] Dazu Hengel, a.a.O. S.369-381.

nicht belegen. Auch in äthHen 49,3 ist dieser Gedanke nicht enthalten. Im Menschensohn, so heißt es hier, wohnt der „Geist derer, die in Gerechtigkeit entschlafen sind". Gegen die verbreitete Deutung, die den Menschensohn hier als Verkörperung der Gemeinde der Gerechten, als umfassenden Anthropos oder als anima generalis betrachtet[48], hat E. Sjöberg[49] geltend gemacht, daß eine solche Bestimmung schlecht in den Zusammenhang paßt. Nach Sjöberg ist hier nicht vom Geist der Gerechten im anthropologischen Sinne die Rede, sondern von der Geistbegabung der Gerechten, vom Geist der Gerechtigkeit, der in den Gerechten gewohnt hat. Diese Deutung hat tatsächlich ein hohes Maß an Wahrscheinlichkeit für sich. Die für Sjöberg noch offene Frage, warum nur von den verstorbenen Gerechten geredet wird, läßt sich leicht beantworten, wenn man sieht, daß hier nicht an eine allgemeine Geistbegabung, sondern an die Inspiration der großen Gerechten der Vergangenheit gedacht ist. Jedenfalls kommt als Beleg für die Vorstellung einer allgemeinen Geistbegabung in der Gegenwart äthHen 49,3 nicht in Frage.

In Hinblick auf die Geistbegabung der großen Gerechten ist für uns Folgendes wichtig: zwar ist der Inhalt der inspirierten Erkenntnis auf das eschatologische Heil bezogen; nirgendwo jedoch gilt die Geistbegabung als solche in der Gegenwart als eschatologisches Zeichen oder als Unterpfand des Zukünftigen[50].

---

[48] So z.B. B. Murmelstein, Adam, ein Beitrag zur Messiaslehre, WZKM 35, 1928, S.242-275, dort S.267; W. Staerk, Die Erlösererwartung in den östlichen Religionen = Soter II, 1938, S.475; R. Otto, Reich Gottes und Menschensohn, S.153; E. Brandenburger, Adam und Christus, WMANT 7, 1962, S.116.

[49] Der Menschensohn im äthiopischen Henochbuch, Acta Reg. Societatis Humaniorum Litterarum Ludensis XLI, 1946, S.98ff.

[50] Die Testamente der XII Patriarchen haben wir für die Darstellung der jüdisch-apokalyptischen Pneumatologie nicht herangezogen. Wenigstens für die apokalyptischen Texte TestLev 18,6f.10ff; TestJud 24,1f; TestBenj 9,4, die von einer Geistbegabung des Messias und einer damit verbundenen Geistbegabung der Gläubigen in der Zukunft reden, nehmen wir mit de Jonge an, daß der christliche Einfluß so weitreichend ist, daß man bei der Suche nach jüdischen Vorlagen bzw. nach jüdischen Traditionsschichten kaum noch zu einem sicheren Ergebnis gelangen kann. Vgl. M. de Jonge, The Testaments of the twelve Patriarchs, a study of their text, composition and origin, Diss. Leiden, 1953, S.89ff.123f; ders., Christian Influence in the Testaments of the twelve Patriarchs, NovTest 4, 1960, S.182-235, dort S.

7. Die Gemeinschaft von Qumran

Die Schriften der Qumrangemeinschaft stehen auf dem Boden der Apokalyptik[51]. Die deterministische und dualistische Geschichtsbetrachtung der Apokalyptik findet sich hier in radikalisierter Form. Die Geschichte, deren Verlauf Gott von ihrem Anfang bis zu ihrem Ende festgelegt hat, wird geschildert als der Kampf des Reiches der Finsternis gegen das Reich des Lichtes. Die Qumrangemeinschaft weiß sich in der Zeit kurz vor dem Ende dieses Kampfes, in einer Zeit, in welcher der Frevel zwar überhand nimmt, die Zeichen des bevorstehenden Gerichts und der bevorstehenden eschatologischen Offenbarung von Gottes Gerechtigkeit jedoch schon sichtbar sind.

Von der sonstigen apokalyptischen Literatur unterscheiden sich die Qumranschriften aber darin, daß sie entschieden von einer Gegenwart des Heils in der „Gemeinschaft" reden. Dieses gegenwärtige Heil wird an mehreren Stellen beschrieben als Anteil am Himmlischen und als Vergegenwärtigung des Eschatons

199-208.225-227; ähnlich M-A. Chevallier, L'Esprit et le Messie dans le Bas-Judaisme et le Nouveau Testament, EHPhR 49, 1958, S.125-133. J. Becker, Untersuchungen zur Entstehungsgeschichte der Testamente der zwölf Patriarchen, Arbeiten zur Geschichte des antiken Judentums und des Urchristentums VIII, 1970, der die Test XII für eine jüdische, christlich interpolierte Schrift hält und sie dementsprechend einer literarkritischen Analyse unterzieht, weist wohl TestBenj 9,4; TestJud 24,1f; TestLev 18,6f, nicht aber TestLev 18,10ff einer christlichen Hand zu; vgl. Becker, a.a.O. S.253.291-300.319-323.

Nicht so eindeutig läßt sich der christliche Einfluß feststellen bei den Stellen, die von einer Geistbegabung in der Gegenwart bzw. in der Vergangenheit reden. Wenn den Patriarchen, namentlich Levi, eine prophetisch-apokalyptische Geistbegabung zugeschrieben wird (TestLev 2,3), so läßt sich das leicht einordnen in das Bild, das sonst aus der jüdischen Apokalyptik bekannt ist. Wenn Joseph als ein Pneumatiker geschildert wird (TestSim 4,4), so klingt darin das biblische Motiv Gen 41,38 an.

Die sich in den Testamenten findende uneschatologische Vorstellung einer allgemeinen Geistbegabung der Gerechten (TestBenj 4,5; 8,2; Test Naph 10,9hebr) ist im Zusammenhang mit der auch sonst auf jüdischem Boden bezeugten dualistischen Anschauung zu sehen, daß alles Tun des Menschen von guten oder bösen Geistern bzw. von einem guten oder bösen Geist beherrscht wird (vgl. TestJud 20). Auf diese Vorstellung werden wir im Rahmen der Qumrantexte näher eingehen.

[51] Zum Verhältnis von Apokalyptik und Essenismus vgl. jetzt Hengel, a.a.O. S.394ff.414ff.

(z.B. 1QH 3,19-23; 11,10-14)[52]. Die Vorstellung von der Heilsgegenwart Gottes in der Gemeinschaft steht in engem Zusammenhang mit dem priesterlichen Selbstbewußtsein der Qumrangemeinde. Die Gemeinschaft betrachtete sich selbst als die alleinige Erbin des Gottesbundes unter Ausschluß des nationalen Israels, und sie verstand sich selbst als das wahre Heiligtum im Gegensatz zu dem verunreinigten Tempel in Jerusalem[53]. Neuere Forschungen haben wahrscheinlich gemacht, daß es die priesterliche Wohntempelvorstellung war, die es der Gemeinschaft ermöglichte, sowohl die strenge Scheidung zwischen Himmel und Erde, als auch die zwischen Zukunft und Gegenwart aufzuheben[54].

Weder aus der Apokalyptik, noch von dem priesterlichen Selbstbewußtsein der Gemeinschaft her ist die soteriologisch ausgerichtete Anthropologie der Gemeinschaft zu verstehen. Hier dürfte sich weisheitlicher Einfluß geltend machen. Kraft seiner kreatürlichen, fleischhaften Beschaffenheit gilt der Mensch – auch der zum Heil prädestinierte – in Qumran als unfähig zu jeglicher Gerechtigkeit, als geradezu anfällig für die Sünde (z.B. 1QS 11,9ff; 1QH 4,29ff)[55].

[52] Dazu K. G. Kuhn, Die in Palästina gefundenen hebräischen Texte und das Neue Testament, ZThK 47, 1950, S.192-211, dort S.201 Anm.7; E. Sjöberg, Neuschöpfung in den Toten-Meer-Rollen, StTh 9, 1955, S.131-136; H. W. Kuhn, Enderwartung und gegenwärtiges Heil, SUNT 4, 1966, S.44ff. 78ff.

[53] Allgemeines dazu: K. G. Kuhn, Les rouleaux de cuivre de Qumrân, RB 61, 1954, S.193-205, dort S.203; H. Kosmala, Hebräer-Essener-Christen, Studia Post-Biblica 1, 1959, S.363-378; B. Gärtner, The Temple and the Community in Qumran and the New Testament, SNTSM 1, 1965, S.4-46; G. Klinzing, Die Umdeutung des Kultus in der Qumrangemeinde und im NT, SUNT 7, 1971.

[54] So: J. Maier, Zum Begriff יחד in den Texten von Qumran, ZAW 72, 1960, S.148-166, dort S.162-165; ders., Die Texte vom Toten Meer II, 1960, S.73f; ders., Vom Kultus zur Gnosis, Kairos, religionswissenschaftliche Studien 1, 1964, S.17-22; B. Gärtner, a.a.O. S.95f; H. W. Kuhn, a.a.O. passim; dagegen versteht G. Klinzing, a.a.O. S.87.89ff.125ff, umgekehrt die Vorstellung von dem in der Gemeinde gegenwärtigen Tempel von der entsprechenden eschatologischen Vorstellung her. Die gegen Maier und Kuhn vorgebrachten Argumente sind aber nicht durchschlagend.

[55] Zur qumranischen Anthropologie vgl. K. G. Kuhn Πειρασμός-ἁμαρτία - σάρξ im Neuen Testament und die damit zusammenhängenden Vorstellungen, ZThK 49, 1952, S.200-222; J. P. Hyatt, The View of Man in the Qumran „Hodayot", NTS 2, 1955/56, S.276-284; W. D. Davies, Paul and the Dead Sea Scrolls: Flesh and Spirit, (The Scrolls and the New Testament, ed.

Stärker als sonst im Judentum erscheint dadurch Gottes rechtfertigendes Handeln als iustificatio impii.

Auf dem Hintergrund dieser theologischen Anschauung ist die Geistlehre zu betrachten. Die Gerechtigkeit der Frommen in der Gegenwart wird in der Qumranliteratur oft auf die Kraft des Geistes zurückgeführt. Wenn von einer Heilswirkung des Geistes die Rede ist, dann sind voneinander zu unterscheiden: a. die Anschauung von einem dem Menschen beim Eintritt in die Gemeinschaft verliehenen heiligen Gottesgeist, b. die Vorstellung von dem jedem Menschen schöpfungsmäßig eignenden prädestinierten Selbst, und c. die Vorstellung von den seit der Weltschöpfung alles Tun des Menschen bestimmenden zwei Geistern. Während sich die ersten beiden Vorstellungen weitgehend als Weiterentwicklung alttestamentlich-jüdischer Anschauungen verstehen lassen, ist die dritte nicht ohne iranischen Einfluß denkbar[56].

a. Im Rahmen der erstgenannten Anschauung sind Zutritt zum heiligen Bereich und Geistbegabung eng verbunden. Am deutlichsten geht das aus der Gemeinschaftsregel hervor. Die für uns wichtigste Stelle ist hier 2,25b-3,12. Der Abschnitt handelt von den Bedingungen zum Einlaß in die Gemeinschaft. Die Gemeinschaft wird vorgestellt als ein Heiligtum. Diejenigen, die nicht eintreten, werden im Anschluß an Lev 13,45f dargestellt als Unreine, die ihr Verbleiben außerhalb des heiligen Bezirks haben (3,5). Rechtschaffenheit, Gerechtigkeit, Vollkommenheit, Reinheit und Heiligkeit

K. Stendahl, 1957) in: ders., Christian Origins and Judaism, 1962, S.145-177; H. Braun, Römer 7,7-25 und das Selbstverständnis des Qumran-Frommen, (ZThK 56, 1959) in: ders., Gesammelte Studien zum Neuen Testament und seiner Umwelt, 1967², S.100-119; M. Mansoor, The Thanksgiving Hymns, Studies on the Texts of the Desert of Judah 3, 1961, S.58-62; E. Brandenburger, Fleisch und Geist, S.86-106; Hengel, a.a.O. S. 400 Anm.649.

[56] Zur qumranischen Pneumatologie vgl. die bei J. Schreiner, Geistbegabung in der Gemeinde von Qumran, BZ NF 9, 1965, S.161-180, dort S.161f zusammengestellte Literatur; außerdem: H. W. Kuhn, a.a.O. S.120-136; E. Brandenburger, a.a.O. S.86-106; P. v.d. Osten-Sacken, Gott und Belial, SUNT 6, 1969, S.131-148. Zur Frage nach dem iranischen Einfluss s. die bei H. W. Kuhn, a.a.O. S.127 Anm.3 genannte Literatur. Schärfer als Kuhn es selbst tut, muß man die Vorstellung von den zwei Geistern von der vom prädestinierten Selbst des Menschen traditionsgeschichtlich und religionsgeschichtlich unterscheiden. Vgl. Schreiner, a.a.O. S.167ff; Brandenburger, a.a.O. S.90 Anm.1; v.d. Osten-Sacken, a.a.O. S.136ff.

gibt es nur innerhalb des heiligen Bereiches der Gemeinschaft, und zwar durch den in der Gemeinschaft anwesenden Geist (3,1-8). Als Wirkungen dieses Geistes werden ausdrücklich allerdings nur genannt: Reinigung, Sühne, Rechtschaffenheit und Demut. Doch heißt das nichts anderes, als daß die ganze Gerechtigkeit des Frommen, die Sündenvergebung und der gerechte Wandel, als Wirkung des Geistes verstanden ist.

Der Geist, durch den die Sühne geschieht, heißt in Z.6: רוח עצת אמת אל, „Geist der Ratsversammlung der Wahrheit Gottes"[57]. Parallel dazu heißt der Geist, durch den die Reinigung vollzogen wird, in Z.7: רוח קדושה ליחד באמתו, „heiliger Geist der Gemeinschaft in seiner Wahrheit"[58]. Wichtig für das Geistverständnis ist hier der Begriff אמת. Die „Wahrheit" ist der Inbegriff der der Gemeinde gegebenen Offenbarung, der Tora mitsamt der richtigen Auslegung und der Möglichkeit, sie zu befolgen[59]. Die Gemeinde heißt die „Gemeinschaft seiner Wahrheit", weil sie die „Erkenntnis der gerechten Satzungen" hat (2,26f). Der Geist der Gemeinschaft der Wahrheit Gottes ist der Geist, der der Gemeinde die Offenbarung vermittelt.

Als Geist der Offenbarung kann der Geist „Geist der Rechtschaffenheit und Demut" genannt werden, denn die Offenbarung führt die Unterwerfung unter die Gebote Gottes herbei. Mit der Erkenntnis schenkt der Geist die Kraft zum gerechten Wandel.

Als Geist der Offenbarung bewirkt der Geist aber auch die Sühne und Reinigung. Kultische Vorstellungen sind hier spiritualisiert[60].

[57] Zur Begründung dieser Übersetzung vgl. P. Wernberg-Møller, The Manual of Discipline, Studies on the Texts of the Desert of Judah 1, 1957, S.61.
[58] Dazu P. Wernberg-Møller, a.a.O. S.61ff.
[59] Dazu B. Otzen, Die neugefundenen hebr. Sektenschriften und die Testamente der zwölf Patriarchen, StTh 7, 1953/54, S.125-157, dort S.127f; O. Betz, Offenbarung und Schriftforschung in der Qumransekte, WUNT 6, 1960, S.53-59; Fr. Nötscher, „Wahrheit" als theologischer Terminus in den Qumran-Texten, in: ders., Vom Alten zum Neuen Testament, BBB 17, 1962, S.112-125; J. Becker, Das Heil Gottes, SUNT 3, 1964, S.158f.
[60] G. Klinzing, a.a.O. S.143-147, schlägt vor, den Begriff der „Spiritualisierung" für den Prozeß der Umdeutung der kultischen Begriffe zu vermeiden, weil er leicht im Sinne einer „Vergeistigung" mißverstanden werde. Doch ist dieses Mißverständnis, etwa seit der Arbeit von H. Wenschkewitz, Die Spiritualisierung der Kultusbegriffe Tempel, Priester und Opfer im Neuen Testament, Angelos 4, 1932, in der biblischen Forschung die Ausnahme und nicht die Regel.

Der Geist der Offenbarung ist an die Stelle der kultischen Waschungen und der Opfer getreten. Die Gemeinschaft hält zwar an kultischen Waschungen fest, sie vertritt aber nach 1QS 2,25-3,12 die Ansicht, daß diese Waschungen ohne den Geist der Offenbarung unwirksam sind.

Als Geist der Offenbarung stammt der Geist von Gott. Gleichzeitig geht der Geist aber in solchem Maße in den Besitz der Gemeinde über, daß man רוח in 3,6-8 auch mit „Gesinnung" übersetzen könnte. Beide Deutungen – göttlicher Geist und menschliche Gesinnung – schließen einander nicht aus. Das Schillernde im רוח -Begriff ist gerade charakteristisch für die Pneumatologie der Gemeinschaft. Ebensowenig wie die Rechtfertigung und der gerechte Wandel des Frommen, lassen sich Gottes inspirierender Geist und die rechtschaffene Gesinnung des Menschen in Qumran scharf voneinander trennen.

Eine ähnliche Anschauung findet sich in 9,3-5. Hier heißt es: ein „Fundament des heiligen Geistes"[61], von dem eine sühnende Wirkung ausgeht, wird dadurch gelegt, daß man die Weisungen der Gemeinschaft befolgt. Die Parallelstelle 5,5ff redet von einem „Fundament der Wahrheit"[62]. „Fundament" steht beide Male pars pro toto für „Haus" oder „Heiligtum". Dieses Heiligtum, so geht aus dem Kontext hervor, wird durch die Gemeinschaft gebildet. Wird nach 5,5 die Sühne geschaffen durch die Beschneidung der „Vorhaut des Triebes und der Halsstarrigkeit", so nach 9,4f durch das „Hebopfer der Lippen" und den „vollkommenen Wandel". Sühnende Wirkung wird dem heiligen Geist und der Wahrheit deshalb zugeschrieben, weil der durch die Offenbarung ermöglichte rechte Wandel der Gemeinde wie auch ihr inspirierter Lobpreis die Opfer im Jerusalemer Tempel ersetzen[63]. Auch an dieser

---

[61] Wenn man ליסוד verbal auffaßt, entsteht keine wesentlich andere Bedeutung. Es liegt kein Grund vor, mit Wernberg-Møller, z.St., לסוד statt ליסוד zu lesen. Die Parallelstelle 5,5 macht diese Lesart sogar unwahrscheinlich.

[62] Zum traditionsgeschichtlichen Zusammenhang von 1QS 5,4ff mit 9,3ff, vgl. Klinzing, a.a.O. S.64ff.

[63] So die übliche Interpretation der Stelle, vgl. K. G. Kuhn, Art. „Qumran" 4, RGG³V, dort Sp.749f; Klinzing, a.a.O. S.38ff; dagegen, jedoch nicht überzeugend: J. Carmignac, L'utilité ou l'inutilité des sacrifices sanglants dans la „Régle de la Communauté" de Qumrân, RB 63, 1956, S.524-532 und J. T. Milik im Post-Scriptum zum genannten Aufsatz.

Stelle umschließt der Begriff רוח קודש beides: den göttlichen heiligen Geist und die menschliche heiligmäßige Gesinnung[64]. Nicht wesentlich anders ist der Befund in den Lobliedern. Hier wird Gott oft gepriesen wegen der Erkenntnis, die er den Frommen geschenkt hat. Diese Erkenntnis wird zurückgeführt auf den „Geist der Erkenntnis" (14,25), auf Gottes heiligen Geist (12,12; 14,12f) oder auf den Geist, den Gott „in" den Beter gegeben hat (12,11f; 13,18f). Sämtliche Stellen finden sich in den sog. Gemeindeliedern, gehen also nicht auf den Lehrer der Gerechtigkeit, sondern auf unbekannte Qumran-Fromme zurück[65]. Diese geistgewirkte Erkenntnis ist nicht ein außerordentliches, zu besonderen Anlässen und an besondere Personen vergebenes Charisma, sondern sie wird als grundlegende Heilserkenntnis jedem Frommen einmalig beim Eintritt in die Gemeinschaft zuteil[66]. Inhalt der Erkenntnis ist Gottes gegenwärtiges Heilshandeln, seine Gerechtigkeit und Wahrheit. Die Erkenntnis hat soteriologische Bedeutung: die Übermittlung der Erkenntnis bedeutet die Versetzung aus der Sphäre der Sünde und des Trugs in die der Gerechtigkeit und Wahrheit. Einsicht in Gottes Wahrheit und Gerechtigkeit bedeutet zugleich die Kraft, nach dieser Wahrheit und Gerechtigkeit zu wandeln. So ist davon die Rede, daß Gott durch seinen heiligen Geist den Beter „stärkt" oder „erfreut", so daß dieser in Gottes Wahrheit fest steht (9,32; 16,7)[67]. Die geistgewirkte Erkenntnis bedeutet Einsicht in Gottes Wesens- und Willensoffenbarung, d.h. konkret in die rechte Interpretation der Tora und die Möglichkeit sie zu befolgen.

Andere Funktionen werden dem Gottesgeist in 16,8-12 zugeschrieben. In diesem Abschnitt preist der Beter Gott, der ihm

---

[64] Vgl. J. Maier, Die Texte vom Toten Meer I, 1960, S.38.

[65] Zur Unterscheidung von Gemeinde- und Lehrerliedern s. G. Jeremias, Der Lehrer der Gerechtigkeit, SUNT 2, 1963, S.168ff; J. Becker, a.a.O. S.50ff; H. W. Kuhn, a.a.O. S.21ff.

[66] Das hat im Einzelnen H. W. Kuhn, a.a.O. S.130-136.154-166 begründet.

[67] In 1QH 9,32 liegt vielleicht ein Bezug auf Ps 51,14 vor. Auch auf 7,7 sei hier hingewiesen; 7,6-25 wird allgemein dem Lehrer der Gerechtigkeit zugeschrieben. Hinsichtlich der Geistbegabung erscheint jedoch in den Lobliedern keine prinzipielle Differenz zwischen dem Lehrer und den anderen Gliedern der Gemeinschaft. Die Verwendung von נוף anstatt נתן kann man für eine solche Unterscheidung nicht anführen; gegen J. Schreiner, a.a.O. S.179f.

durch den Geist seines Erbarmens seine Gnade und Gerechtigkeit erwiesen hat. Die Gerechtigkeitserweise Gottes bestehen darin, daß er den Beter gereinigt und „nahegebracht" hat, so daß dieser jetzt Gottes Gerechtigkeit erkennen, die Ungerechtigkeit meiden und so Gott besänftigen kann. Einerseits wird hier also das Heilsgeschehen als Ganzes auf den göttlichen Geist des Erbarmens zurückgeführt (Z.9), andererseits werden ihm besondere Funktionen zugeschrieben, nämlich die Reinigung des Beters und die Möglichkeit, Gott zu besänftigen (Z.11f). Der Abschnitt redet vom Eintritt in die Gemeinde[68]. Dieser Eintritt wird beschrieben als Eintritt in das Heiligtum. Der Begriff des „Nahens" ist im A.T. „ein Fachausdruck der Priestersprache"[69]. Reinigung ist nach jüdischer Anschauung eine Vorbedingung für den Eintritt in das Heiligtum. Ebenso hat die „Besänftigung des Angesichts Gottes" ursprünglich ihren Platz im Kult[70]. Wie in 1QS 3,6ff und 9,3ff werden hier also dem Gottesgeist ursprünglich kultische Funktionen zugeschrieben. Auch hier gilt aber, daß der Geist kein anderer als der Geist der Offenbarung ist. Eine reinigende Wirkung hat der Geist deshalb, weil der Fromme durch den Geist der Erkenntnis aus der Sphäre der Sünde in die der Gerechtigkeit getreten ist. Der Geist der Erkenntnis nimmt somit die Stelle der kultischen Waschungen ein[71]. Gott besänftigen durch den Geist kann der Fromme deshalb, weil er auf seine von Gott geschenkte Gerechtigkeit hinweisen kann. Die Gerechtigkeit tritt hier, wie es in Am 5,21ff gefordert ist, an die Stelle der kultischen Opfer[72]. An die Stelle der kultischen Gegenwart Gottes in Jerusalem ist hier die spirituelle Heilsgegenwart Gottes in der Gemeinschaft getreten.

[68] Vgl. H. W. Kuhn, a.a.O. S.132ff.
[69] G. v. Rad, Theologie II, S.227.
[70] Vgl. 1 Sam 13,12; Sach 7,2; 8,21; Mal 1,9.
[71] Auf Jes 4,4 sollte man in diesem Zusammenhang nicht verweisen, weil dort eine andere Vorstellung vorliegt. Gegen H. Wildberger, Jesaja, S.159; A. Jaubert, La Notion d'Alliance dans le Judaïsme aux abords de l'ère chrétienne, Patristica Sorbonensia 6, 1963, S.239.
[72] Nur in diesem Sinne kann man an dieser Stelle vom geistgewirkten Gebet reden. Es liegt hier nicht die Vorstellung von der oratio infusa vor. Anders ist die Vorstellung vom inspirierten Lobpreis (1QH 11,4f; 17,17; 3,22f). Hier kann man nicht von Spiritualisierung reden. A. Dietzel, Beten im Geist, ThZ 13, 1957, S.12-32, dort S.24ff hat diesen Unterschied nicht beachtet.

b. Die Vorstellung, daß der Geist das jedem Menschen schöpfungsmäßig eignende Selbst ist, braucht uns nur kurz zu beschäftigen. רוח begegnet in der Qumranliteratur oft im anthropologischen Sinne zur Bezeichnung der religiös-ethischen Existenz des Menschen. Dabei berührt sich die Vorstellung vom Geist-Selbst des Menschen in mancher Hinsicht mit der von einer Begabung mit dem göttlichen Geist. Das hängt vor allem zusammen mit der qumranischen Vorstellung der Prädestination und der soteriologisch ausgerichteten Anthropologie. Gott hat bei der Schöpfung alle Geister prädestiniert, entweder zur Gerechtigkeit oder zur Ungerechtigkeit. Da der Mensch als Fleisch zu keiner Gerechtigkeit fähig ist, kann er in der Erkenntnis Gottes und im Gehorsam gegenüber Gottes Willen nur leben, wenn Gott ihn bei der Geburt mit einem zur Gerechtigkeit bestimmten Geist ausgestattet hat. Der Geist der Gerechten erscheint so als eine göttliche Gabe, dem dieselben Funktionen wie dem göttlichen Geist zugeschrieben werden (vgl. 1QH 4,30ff; 15,12ff.21f; 16,10)[73]. Allerdings ist dieser Geist anfechtbar. Auch wenn die Verfassung des Geistes von der Geburt an festgelegt ist, so wird er doch außerhalb der Gemeinschaft verunreinigt und bedarf beim Eintritt in diese Gemeinde eines Reinigungsaktes (1QH 3,21; 11,12). Durch die Reinigung seines Geistes bekommt der Eintretende Anteil an der der Gemeinschaft geschenkten Offenbarung. Die Reinigung des menschlichen Geistes fällt somit zusammen mit der Begabung mit dem göttlichen Geist.

c. Schließlich ist noch auf die Lehre von den zwei Geistern, dem der Wahrheit und dem des Frevels, in 1QS 3,13-4,26 einzugehen. Der Geist der Wahrheit ist verwandt mit dem prädestinierten Selbst des Menschen, und zwar insoweit, als er nicht nur kosmologisches, sondern auch anthropologisches Prinzip und dem Menschen schöpfungsmäßig beigelegt ist. Der Geist der Wahrheit ist aber auch verwandt mit dem heiligen Gottesgeist, und zwar insofern, als er dem Menschen übergeordnet erscheint und man ihm dieselbe Wirkung zuschreibt wie dem Gottesgeist, der einem beim Eintritt in die Gemeinde verliehen wird. Die Wirkung des Geistes der Wahrheit – das zeigt der Tugendkatalog 4,3-6a – um-

---

[73] Vgl. Brandenburger, a.a.O. S.91ff.

faßt die ganze Gerechtigkeit des Menschen, sowohl sein Verhältnis zu Gott als auch das zum Nächsten[74].

Eine deutliche Vermischung der Vorstellung von den beiden miteinander streitenden Geistern und vom offenbarenden und reinigenden Gottesgeist findet sich dort, wo von der zukünftigen Wirkung des Geistes die Rede ist. Der Kampf des Geistes des Frevels gegen den der Wahrheit endet nach 4,6b-8.11b-14 mit der Trennung der Gefolgschaft der beiden Geister, der einen zur ewigen Seligkeit, der anderen zum ewigen Verderben. Nach 4,20ff bedeutet das eschatologische Gericht für die Gerechten jedoch nicht nur die Bestätigung ihrer Gerechtigkeit[75]. Soweit der Geist des Frevels Herrschaft auch über sie gewonnen hat, erfolgt für sie ein Reinigungsgericht. Die Reinigung vollzieht Gott mit seiner „Wahrheit", mit dem „heiligen Geist" bzw. mit dem „Geist der Wahrheit"[76]. Durch diese Reinigung wird den Gerechten Anteil an der Weisheit der Himmlischen geschenkt, wird ihnen die paradiesische Herrlichkeit Adams wieder verliehen und wird ihre Erwählung zum ewigen Bund besiegelt.

Auch hier ist die kultische Vorstellung von der Reinigung spiritualisiert. Die eschatologische Reinigung ist identisch mit dem Akt der Verleihung der vollkommenen himmlischen Erkenntnis. Gottes „Wahrheit" bezeichnet Gottes vollkommene Offenbarung. Mit dem „heiligen Geist" bzw. mit dem „Geist der Wahrheit" ist Gottes offenbarender Geist gemeint.

Im Zusammenhang mit 1QS 4,20ff wird oft auf Ez 36,25ff verwiesen[77]. Ein Bezug auf diese Prophetenstelle ist zwar nicht ganz auszuschließen, doch sind die sprachlichen und inhaltlichen Über-

---

[74] Dazu W. Foerster, Der Heilige Geist im Spätjüdentum, NTS 8, 1961/62, S.117-134, dort S.129f; P. v.d. Osten-Sacken, Gott und Belial, S.150ff.
[75] Zur Spannung zwischen 3,15ff und 4,20ff vgl. K. G. Kuhn, ZThK 49, S.301 Anm.4; J. Becker, a.a.O. S.88ff; P. v.d. Osten-Sacken, a.a.O. S.21 Anm.2.22ff.170ff; nach v.d. Osten-Sacken handelt es sich bei der letzten Stelle um einen korrigierenden Nachtrag.
[76] Trotz der Anspielung auf Mal 3,3 ist dabei nicht die Vorstellung eines Feuergerichtes dominierend, sondern die einer kultischen Wasserreinigung nach dem Muster von Num 19,17ff.
[77] So K. G. Kuhn, ZThK 49, S.301-302 Anm.4; O. Betz, Offenbarung, S.131 Anm.4; A. Jaubert, La Notion d'Alliance, S.238ff.

einstimmungen beider Texte äußerst gering[78]. Nur der allgemeine Zusammenhang zwischen Reinigung und Geistverleihung ist beiden Texten gemeinsam. Diese Anschauung läßt sich aber auch ohne Heranziehung von Ez 36,26ff erklären, wenn man nämlich annimmt, daß die Geistverleihung beim Eintritt in die Gemeinschaft, die spiritualisierend als kultische Reinigung betrachtet wurde, hier in die Zukunft projiziert ist.

Zusammenfassend ist zu sagen: über die apokalyptischen Gemeinden geht die Gemeinschaft von Qumran darin hinaus, daß sie die Gabe des Geistes in der Gegenwart nicht nur den theologischen Lehrern, sondern auch jedem einzelnen Frommen zuteil werden läßt. Der Geist ist in Qumran die Macht der Rechtfertigung sola gratia. Schenkt Gott durch seinen Geist Gotteserkenntnis und den gerechten Wandel, so ist im Zusammenhang mit der weisheitlich beeinflußten Anthropologie radikaler als sonst im Judentum das Gotteshandeln als ein Handeln allein aus Gnaden verstanden. Ein neuer Aspekt gegenüber dem sonstigen Judentum liegt weiter darin, daß das rechtfertigende Handeln Gottes durch den Geist nach qumranischer Anschauung – und hier spielt das priesterliche Selbstbewußtsein der Gemeinschaft eine Rolle – sich auch auf die Sündenvergebung erstreckt. In der Gabe des Geistes fallen Reinigung von Sünden und gerechter Wandel zusammen.

Die Frage, inwieweit die Gabe des Geistes beim Eintritt in die Gemeinde als Vergegenwärtigung des Eschatons verstanden wurde, läßt sich nicht eindeutig beantworten. Die Gemeinschaft verstand sich als das Israel κατὰ πνεῦμα kurz vor dem Endgericht. Das Heil in der Gegenwart war auf das in der Zukunft bezogen. Eschatologisches Heil wie Auferstehung von den Toten und Neuschöpfung konnte die Gemeinschaft als gegenwärtig darstellen. Doch heißt das nicht, daß die Gemeinschaft ihre ganze Existenz als eschatolo-

---

[78] Wenn man in Z.20f liest, daß Gott den Geist des Frevels מתכמי בשרו „aus dem Innern seines Fleisches" tilgt, kann man darin eine Anspielung auf Ez 36,26f sehen, wo gesagt wird, daß Gott das steinerne Herz „aus dem Fleisch" der Israeliten (מבשרכם) nimmt. Wenn man aber an der Lesart מתכמו festhält, dann ist die Lösung von B. Otzen, StTh 7, S.138-139 Anm.2, am wahrscheinlichsten, daß nämlich eine Metathesis vorliegt. Otzen liest מתמוך und übersetzt: „Damit ein jeder Geist des Unrechts aufhören kann, über sein Fleisch Macht zu haben".

gisch, das ganze gegenwärtige Heil nur als Vorwegnahme des Zukünftigen verstand. Die Tatsache, daß in 1QS 4,20ff die zukünftige Geistverleihung entsprechend dem Akt der Geistverleihung beim Eintritt in die Gemeinschaft geschildert wird, besagt noch nicht, daß bei letzterer der eschatologische Aspekt immer dominierend ist. Im Gegenteil: H. W. Kuhn hat gezeigt, daß dort, wo von einer Geistbegabung in der Gegenwart die Rede ist, die eschatologischen Motive in den Hintergrund treten, während umgekehrt die Gabe des Geistes nicht erwähnt wird, wo die eschatologischen Motive dominieren[79]. Zu beachten ist auch, daß die gegenwärtige Gabe des Geistes nirgendwo ausdrücklich als Erfüllung der prophetischen Verheißungen verstanden ist. Wie in der Apokalyptik ist auch in Qumran die Anschauung von der Gegenwart des Geistes weniger vom eschatologischen als vielmehr vom esoterischen Selbstverständnis der Gemeinschaft her zu verstehen.

8. Die hellenistisch-jüdische Weisheit

a. Die Weisheitsliteratur der nachexilischen Zeit wurde zunehmend theologischer. Die Weisheit wurde zur Offenbarungsmittlerin, sie konnte mit der Tora identifiziert werden und bekam so Heilsbedeutung (vgl. Spr 2,1ff; Sir 24). Dem entspricht, daß in der *Sapientia Salomonis* die Weisheit nicht nur enzyklopädische Kenntnis des Kosmos, sondern vor allem Kenntnis des göttlichen Willens und somit σωτηρία vermittelt (9,9ff.18). Der Anteil an ihr entscheidet über Leben und Tod (1,12ff). Es ist denn auch nicht verwunderlich, daß man hier einer Variante der kultischen Einlaßtradition begegnet: Den Gerechten bzw. den Weisen wird Anteil am Tempel Gottes (3,14), Gemeinschaft mit den Engeln (5,5) und ein Leben in himmlischem Licht und in himmlischer Herrschaft zugesprochen (3,7f).

Die Weisheit, und damit die Gerechtigkeit, durch die man Anteil am Heil bekommt, wird in der Sapientia Salomonis durchweg als Wirkung des göttlichen Geistes betrachtet. Die Geistaussagen sind auf dem Hintergrund eines ontologischen Dualismus zu verstehen, der außer vom weisheitlichen Pessimismus und vom

[79] a.a.O. S.136-139; ohne auf die Ausführungen Kuhns einzugehen, versteht G. Klinzing, a.a.O. S.65.90 den heiligen Geist immer als ein eschatologisches Heilsgut.

64

apokalyptischen Weltbild entscheidend vom griechischen Denken geprägt ist. Die Welt des Göttlichen, Ewigen und Wirklichen steht der todverfallenen irdischen Scheinwelt gegenüber. Das Heil gehört ganz zur idealen Welt. Was für das alte Israel das Heil war, langes Leben auf Erden und Fruchtbarkeit, gehört jetzt zur vergänglichen Scheinwelt. Das wirkliche Leben ist die ἀφθαρσία (Kap.3-4)[80].

Die Weisheit ist nach 7,1ff und 9,13ff dem Menschen nur durch die Gabe des göttlichen Pneumas zugänglich, weil der Mensch als Erdgeborener, als Geschöpf von Fleisch und Blut, als Gefangener im sterblichen Leibe das Göttliche nicht zu erkennen vermag. Die inspirierte Weisheit, die früher nur besonderen Personen zu besonderen Anlässen zugebilligt wurde, ist jetzt im Rahmen des dualistischen Weltbildes heilsnotwendig.

Eine andere Vorstellung ist 7,22ff zu erkennen. Hier wird die Weisheit nach dem Muster des stoischen Logos als eine den Kosmos durchwaltende Potenz dargestellt und ihrer Substanz nach als Pneuma bestimmt[81] (vgl. auch 1,7). Auch hier ist der dualistische Rahmen unübersehbar. Gehört die Pneuma-Sophia ihrem Wesen nach zur intelligiblen Welt, ist sie Hauch und Ausfluß der göttlichen Macht und Herrlichkeit, Abglanz des ewigen Lichtes, Spiegel und Eikon des göttlichen Wesens, so berührt sie sich nur mit den zur intelligiblen Welt gehörigen πνεύματα, mit den ψυχαὶ ὅσιαι, den Freunden Gottes und den Propheten, mit denen also, die das göttliche Ebenbild nicht verloren haben (vgl. 2,23)[82]. Hier knüpft der göttliche Geist an die Schöpfungsgabe des Menschen an.

Sowohl von der jüdischen Weisheitstradition wie auch von dem hellenistischen Einfluß her ist es verständlich, daß die Eschatologie und die Soteriologie in der Sapientia Salomonis einen ungeschichtlichen Charakter tragen.

---

[80] Vgl. D. Georgi, Der vorpaulinische Hymnus Phil 2,6-11, in: Zeit und Geschichte, Festschrift R. Bultmann, 1964, S.263-294, dort S.270ff.287ff; E. Brandenburger, Fleisch und Geist, S.106-113.
[81] Die Lesart ἐν αὐτῇ in 7,22 ist nicht einfach zu verstehen. Die Lesart αὕτη des Alexandrinus dürfte eine vereinfachende Korrektur sein. Am wahrscheinlichsten ist das reflexive Verständnis: Die Weisheit ist in sich selber Pneuma. Vgl. P. Heinisch, Das Buch der Weisheit, Exeg. Handbuch zum A.T., 1912, z.St.
[82] Zur Vorstellung der Gottebenbildlichkeit in der Weisheit vgl. J. Jervell, Imago Dei, S.46-50.

b. Ähnliches gilt für *Philo von Alexandria*. Allerdings macht sich bei ihm der Einfluß des Hellenismus, insbesondere des platonischen Dualismus wesentlich deutlicher bemerkbar. Die alttestamentliche Frage „Wer darf treten in Jahwes heiligen Bezirk?" begegnet bei Philo in mehreren Formen. So steht die allegorische Auslegung von Gen 15,2-18 unter dem Thema: Quis rerum divinarum heres. Das Erbe, von dem der Genesisabschnitt spricht, gehört für Philo zum Bereich des Ungeschaffenen und Unvergänglichen; es ist die himmlische Weisheit (98f;313). Dementsprechend kann Erbe des Göttlichen nur ein Geschlecht sein, das dem himmlischen Bereich angehört, ein σπέρμα, das νοητόν, αὐτοδίδακτον und θεοειδές ist (65), ein pneumatisches Israel (78). Alle Gerechten sind für Philo deshalb pneumatische Weisen und Propheten (259ff).

Erben des Göttlichen, so führt er antithetisch aus, sind nicht diejenigen, die die αἴσθησις als Mutter haben, die sich von der Welt des αἷμα und der σάρξ leiten lassen, deren Gestalt ein Erdgebilde ist, sondern nur die Kinder der Mutter σοφία, die aus der Kraft des göttlichen πνεῦμα leben, deren Gestalt ein Abdruck der göttlichen εἰκών ist (52-57)[83].

Einmal beschreibt Philo den Vorgang der Erkenntniserlangung als Aufstieg des vom Pneuma getragenen menschlichen Geistes in den himmlischen Bereich, dann wieder als Erleuchtung von oben mit pneumatischem Licht (vgl. 69f mit 263ff). Das Pneuma erscheint dabei einerseits als eine dem Menschen bei seiner Erschaffung zuteil gewordene Gabe, als die Substanz des oberen Seelenteiles (55f), und andererseits als ein nur gelegentlich verliehenes Charisma (265).

Erbe des Göttlichen wird nur der ganz gereinigte Nous, d.h. der Nous, der sich ganz von der irdischen Materie, vom Körper und den niederen Seelenteilen gelöst hat, und zugleich ganz vom Pneuma erfüllt ist (64). Die ersten Stufen des Reinigungsaktes bestehen darin, daß man die Funktionen des Körpers und der

---

[83] Zum Verhältnis von Geistbegabung und Gottebenbildlichkeit bzw. zu Philos Auslegung von Gen 1,27 und 2,7 vgl. Det Pot Ins 80-86; Leg All I, 31-42; Plant 18-20; dazu: F-W. Eltester, Eikon im Neuen Testament, BZNW 23, 1958, S.46ff; Jervell, a.a.O. S.58-66; A. Wlosok, Laktanz und die philosophische Gnosis, AAH, Philos-hist. Klasse 1960 Abh. 2, S.60ff.

niederen Seelenteile heiligt für den Tempel der noetischen Welt. Das geschieht konkret dadurch, daß man diese Funktionen ausrichtet auf ein tugendhaftes und kontemplatives Leben (69; 71-75; vgl. 104-11). Die höchste Stufe ist dann erreicht, wenn nicht nur diese Funktionen, sondern auch die des höheren Seelenteiles ausgeschaltet sind, und nur noch das göttliche Pneuma im Menschen herrscht. Dieser höchste Zustand der Heiligung, der die Gottesschau ermöglicht, kann Philo nur in Kategorien der Ekstase und der Besessenheit beschreiben (69f; 263ff).

Diese Anschauung findet man in vielerlei Varianten in den anderen philonischen Schriften wieder. An die Stelle der Pneuma-Sophia tritt dabei auch die göttliche Dynamis oder der Logos. Auf Einzelheiten einzugehen, würde den Rahmen dieser Arbeit sprengen[84]. In Hinblick auf die Paulusinterpretation müssen wir jedoch noch auf ein Problem näher eingehen.

Philo kann die Weisheit mit dem Gesetz identifizieren (z.B. Fug 137ff). Das Gesetz gehört für ihn ganz zur immateriellen Welt. In diesem Zusammenhang verwendet Philo die griechische Tradition vom νόμος ἄγραφος bzw. vom νόμος τῆς φύσεως[85]. Der wahre Weise erfüllt das Gesetz οὐ γράμμασιν ἀναδιδαχθείς, ἀλλ' ἀγράφῳ τῇ φύσει σπουδάσας ὑγιαινούσαις καὶ ἀνόσοις ὁρμαῖς ἐπακολουθῆσαι (Abr 275; vgl. 3-6). Das Motiv von Jer 31,33f erscheint hier in hellenisierter Form[86]. Nun hat E. Goodenough die philonische Unterscheidung vom geschriebenen und ungeschriebenen Gesetz in Zusammenhang mit der paulinischen Pneuma-Gramma-Antithese gebracht und behauptet, für Philo wie für Paulus sei die geschriebene Form

---

[84] Aus der umfangreichen Literatur nennen wir: H. Leisegang, Der Heilige Geist I, 1, 1919; H. Lewy, Sobria Ebrietas, BZNW 9, 1929; E. R. Goodenough, By Light, Light, 1935; H. Jonas, Gnosis und spätantiker Geist II, 1, 1954, S.70-121; A. Wlosok, a.a.O. S.50-114; E. Brandenburger, Fleisch und Geist, S.123-221.

[85] Dazu: R. Hirzel, "Ἄγραφος νόμος, AGL, phil.-hist. Classe XX, 1, 1900; I. Heinemann, Die Lehre vom ungeschriebenen Gesetz im jüdischen Schrifttum, HUGA 4, 1927, S.149-171; W. Kranz, Das Gesetz des Herzens, Rhein Mus NF 94, 1951, S.222-241; H. Koester, Νόμος φύσεως The Concept of natural Law in Greek Thought, in: Religions in Antiquity, Essays in Memory of E. R. Goodenough, ed. J. Neusner, Suppl. Numen, 14, 1968, S.521-541.

[86] Vgl. G. Bornkamm, Gesetz und Natur (Röm 2,14-16), in: ders., Studien zur Antike und Urchristentum, BEvTh 28, 1962², S.93-118, dort S.107.

des Gesetzes, als zur materiellen Welt gehörig, ein für den vollkommenen Weisen überholtes Stadium[87].

Zweifellos findet sich bei Philo eine starke Tendenz in diese Richtung. Wenn es um ungeschriebene Gesetze im Sinne von überlieferten ἔϑη geht, kann Philo das Geschriebene als den Bereich der Knechtschaft und des Vergänglichen dem Ungeschriebenen als dem Bereich des Unvergänglichen und der Freiheit gegenüberstellen (Spec Leg IV,149f). Auch von dem einen wahren, zur Freiheit führenden Gesetz, dem ὀρϑὸς λόγος, heißt es, daß es nicht mit vergänglichen Buchstaben in vergängliches Material, sondern von der unvergänglichen Natur in den unvergänglichen Geist geschrieben ist (Omn Prob Lib 46). Doch ist zu beachten, daß Philo es geflissentlich vermeidet, aus solchen Gedanken die Konsequenzen für das geschriebene Mosegesetz zu ziehen. Die Belege, die Goodenough beibringt für seine These, daß nach Philo das geschriebene Gesetz ein überholtes Stadium sei, sind nicht tragfähig. So ist es mehr als fraglich, ob in Mut Nom 26 mit den χειροποιήτους νόμους, denen es zu entfliehen gilt, die geschriebenen Mosegesetze gemeint sind[88]. In Quaest in Gn IV,140 wird der Erkenntnis aus den heiligen Schriften nicht die höhere Stufe der vom göttlichen Logos direkt vermittelten Erkenntnis, sondern ihr wird im Gegenteil die niedere Stufe der durch die Sinneswahrnehmung vermittelten Erkenntnis gegenübergestellt[89]. Nach Quaest in Ex II,41f gehört der geschriebene Charakter gerade zum Wesen des wahren dauerhaften Gesetzes. Nach Abr 3 verhalten sich die geschriebenen Einzelgesetze zu den ungeschriebenen allgemeinen Gesetzen wie εἰκόνες zu ihren ἀρχέτυποι. Bekannt ist auch Philos Polemik gegen die allegorischen Gesetzesinterpreten, die bei ihrere Auslegung nur auf den pneumatischen Sinn und nicht mehr auf den Wortsinn achten (Migr Abr 89f). Hier verleugnet Philo sein jüdisches Erbe nicht.

---

[87] E. R. Goodenough, By Light, Light, passim; ders., Paul and the Hellenization of Christianity (überarbeitet und posthum herausgegeben von A. Th. Kraabel), in: Religions in Antiquity, S.23-68.

[88] So: By Light, Light S.91f.397; Colson (ed. Loeb) liest μώμους statt νόμους und vergleicht die Stelle mit Leg All III, 141.

[89] Vgl. By Light, Light, S.160; gegen Goodenough: H. A. Wolfson, Philo II, 1948, S.10.189 und R. Marcus in seiner Anmerkung zur Übersetzung (ed. Loeb); vgl. auch A. Jaubert, a.a.O. S.390.399.

c. Schließlich sei noch die Missionsschrift „*Joseph und Aseneth*"
erwähnt[90]. In der Geschichte der Aseneth wird urbildlich eine
Proselytenbekehrung beschrieben.

Damit Aseneth in die den Auserwählten bereitete κατάπαυσις
eingehen kann, so heißt es in Josephs Gebet B49,18ff bzw.
Ph8,10f, muß sie zunächst durch das göttliche Pneuma neugeschaffen werden. Aseneths Neuschöpfung wird als eine totale Verwandlung
dargestellt. Durch ihre Bekehrung ist Aseneth berechtigt, ihren
Schleier abzulegen und ihr Haupt wird „wie das eines jungen
Mannes" (B60,17ff bzw. Ph15,1f). Das heißt nichts anderes, als
daß sie die Gottesebenbildlichkeit empfängt[91]. Durch die Neuschöpfung bekommt Aseneth Anteil an der himmlischen Herrlichkeit. Die göttlichen Geheimnisse werden ihr offenbart. Die himmlische Nahrung, das Brot des Lebens, der Becher der Unsterblichkeit
und das Öl der Unvergänglichkeit, wird ihr zuteil. Ihr Leib bekommt
einen himmlischen Glanz (B64,3ff bzw. Ph16,7ff; B68,8ff bzw.
Ph18,7)[92].

Innerhalb der jüdischen Gemeinde, so will diese Schrift sagen,
wirkt der Geist des Lebens (vgl. B64,6). Konkret ist mit der himmlischen Nahrung, durch die das Pneuma wirkt, – das hat Chr.
Burchard im Anschluß an Joach. Jeremias wahrscheinlich gemacht –
nicht sosehr ein besonderes kultisches Mahl als vielmehr das Leben

---

[90] Zur Frage nach der Verwandtschaft der hellenistisch-jüdischen Apologetik
zur Weisheitsliteratur s. D. Georgi, Gegner, S.52-53 Anm.2; Brandenburger,
Fleisch und Geist, S.202.
Wir zitieren nach Seiten und Zeilen der Ausgabe von P. Battifol, Le livre
de la prière d'Aseneth, Studia Patristica, 1889, S.1-115 (=B) und nach der
Kapitel- und Verseinteilung der Ausgabe von M. Philonenko, Joseph et
Aséneth, Studia Post-Biblica 13, 1968 (=Ph). Es ist zu bedauern, daß
Philonenko in seinem Apparat zum Text die Handschriftenfamilien a, b
und c (nach der Einteilung von Chr. Burchard, Untersuchungen zu Joseph
und Aseneth, WUNT 8, 1965, S.18f) kaum berücksichtigt. Seine Ausgabe
ist jetzt nur beschränkt brauchbar. Vgl. die Rezension seines Buches von
Chr. Burchard, ThLZ 95, 1970, Sp.253ff.
[91] Der Zusammenhang von enthülltem Haupt und Gottebenbildlichkeit
findet sich auch bei Paulus, und zwar in 1 Kor 11,2-16 und 2 Kor 3,12-18.
Von Androgynie ist in JA 15,1 (Ph) keine Rede; gegen Philonenko, a.a.O.
S.76f.181 und H. Thyen, Studien, S.202 Anm.2.
[92] Dazu E. Brandenburger, Die Auferstehung der Glaubenden als historisches
und theologisches Problem, WuD NF 9, 1967, S.16-33, dort S.23ff.

more judaico gemeint[93]. Nach der Anschauung von „Joseph und Aseneth" ist die neue pneumatische Schöpfung im ganzen Leben des jüdischen Volkes Gegenwart. Nur in beschränktem Sinne aber kann man hier von einer Gegenwart des Eschatons reden. Vielmehr sind die ursprünglich eschatologischen Vorstellungen enteschatologisiert bzw. in ungeschichtlichem Sinne verstanden.

Bemerkenswert ist an dieser Schrift vor allem, daß von der Geistbegabung nicht in ähnlicher Weise wie sonst im hellenistischen Judentum im Rahmen eines dualistischen Welt- und Menschenbildes gesprochen wird. Die dualistischen Elemente fehlen zwar keineswegs, doch wird die Notwendigkeit der Neuschöpfung durch das Pneuma nicht mit dem Hinweis auf die Ohnmacht des menschlichen Fleisches begründet. Durch die Neuschöpfung werden der Leib und das Fleisch nicht zunichte gemacht, sondern gerade verklärt.

9. Die rabbinische Überlieferung

In der rabbinischen Überlieferung ist die Frage nach den Einlaßbedingungen für die zukünftige Welt ein fester Topos. Die Gerechten, denen die zukünftige Welt zuteil wird, sind diejenigen, die zum heiligen Volk gehören, sich mit der Tora beschäftigen und sie befolgen (Aboth 2,7; 3,11; Sanh 10,1; bBer 28b; bSanh 98b)[94]. Auch hier gilt die Gerechtigkeit als eine Gabe Gottes. Die Tora ist als das „Joch der Gottesherrschaft" im Gegensatz zu jedem „Joch von Fleisch und Blut" die himmlische Gabe schlechthin. Auch die Anschauung, daß die anthropologische Möglichkeit, die Tora zu befolgen, auf einer göttlichen Begabung beruht, findet sich (vgl. das Gebet des Mar ben Rabina, bBer 16b)[95]. Für die Übertreter des Gesetzes gilt Gottes vergeltende Gerechtigkeit ebenso wie seine vergebende Liebe[96].

---

93) a.a.O. S.121-133; dagegen aber T. Holtz in seiner Rezension von Burchards Buch, ThLZ 93, 1968, Sp.837ff; vgl. ders., Christliche Interpolationen in „Joseph und Aseneth", NTS 14, 1967/68, S.482-97.
94) Weiteres bei G. Dalman, Die Worte Jesu I, 1898, S.84-108; H. Windisch, ZNW 27, S.172ff.
95) Dazu K. Hruby, Gesetz und Gnade in der rabbinischen Überlieferung, in: Gesetz und Gnade im Alten Testament und im jüdischen Denken, hg.v. R. Brunner, 1969, S.30-63, dort S.56ff.
96) Dazu: E. Sjöberg, Gott und die Sünder im palästinischen Judentum, BWANT 79, 1939.

Gelegentlich findet sich in der rabbinischen Literatur auch der Gedanke, daß im zukünftigen Äon das Halten der Gebote durch die Gabe des Gottesgeistes ermöglicht sein wird. Im Anschluß an Ez 36,26f, Jo 3,1 und Num 11,29 wird gesagt, daß in der Endzeit der böse Trieb durch die Ausgießung des Geistes besiegt und jeder Israelit ein Prophet sein wird[97]. Dagegen – und das ist, wenn man die sonstige jüdische Literatur berücksichtigt, eine auffallende Tatsache – läßt es sich nicht belegen, daß die Gerechtigkeit des Menschen vor Gott in der Gegenwart eine Wirkung des Gottesgeistes ist[98].

Wohl gibt es einige Stellen, die den heiligen Geist mit Gerechtigkeit, Heiligkeit und Reinheit in Zusammenhang bringen. So wurden nach Mek RSim (ed. Epstein-Melamed S.8) die 70 Ältesten in der Wüste geheiligt im heiligen Geist. Doch ist hier mit dem h.Geist nach Num 11,16ff der Geist der Prophetie gemeint. Die Heiligung im Geist bedeutet nach dem Kontext, daß den Ältesten durch die Gabe der Prophetie eine Vorrangstellung vor dem Volke eingeräumt wurde. In SDt §173 (ed. Horovitz-Finkelstein S.220) und bSanh 65b wird der heilige Geist bzw. der Geist der Reinheit dem Geist der Unreinheit gegenübergestellt. Die Ausleger stimmen aber darin überein, daß es sich hier nicht um Reinheit in ethischem Sinne handelt. Im Anschluß an Dtn 18,9ff redet der Midrasch von der wahren Prophetie im Gegensatz zu der heidnischen Wahrsagerei und Zauberei[99]. Nach Gn r 97 (ed. Theodor S.1224) tun die Gerechten alles, was sie tun, im h.Geist. Richtig sagt E. Sjöberg zu dieser Stelle: „...es geht aus dem Zshg hervor, daß man dabei nicht an den h.Geist als die Kraft ihres gerechten Lebens denkt, sondern daran, daß ihre Handlungen eine Weissagung enthalten, die später in Erfüllung geht"[100]. Immer handelt es sich an diesen

---

[97] Belege bei (H. L. Strack)-P. Billerbeck, Kommentar zum Neuen Testament aus Talmud und Midrasch, 4Bde, 1922-28, II, S.134.615f; III, S.240; IV, S.847f.849f; E. Sjöberg, Art. Πνεῦμα C III, ThW VI, dort S.382f.
[98] Dazu jetzt die Materialsammlung bei P. Schäfer, Die Vorstellungen vom Heiligen Geist in der rabbinischen Literatur, SANT 28, 1972.
[99] Vgl. Bill II, S.133; W. Foerster, NTS 8, 1961/62, S.117; A. M. Goldberg, Untersuchungen über die Vorstellung von der Schekhinah in der frühen rabbinischen Literatur, Studia Judaica 5, 1969, S.413f; P. Schäfer, a.a.O. S.103ff; anders: H. Parzen, The Ruah Hakodesh in Tannaitic Literature JQR NS 20, 1929/30, S.51-76, dort S.73f.
[100] ThW VI, S.380; vgl. auch R. Mach, Der Zaddik in Talmud und Midrasch, 1957, S.87 Anm.3.

Stellen um die Gabe der Prophetie, die als Gabe der Weissagung verstanden ist.

Als Gabe der Weissagung ist der heilige Geist auch dort verstanden, wo er als Lohn für einen gerechten Wandel vorgestellt ist (z.B. Sota 9,15)[101]. Die großen Gerechten werden in der rabbinischen Literatur oft mit übernatürlichen Zügen ausgestattet[102], jedoch ist nie die Gabe des Geistes die Quelle ihres gerechten Wandels.

Für die Rabbiner war die Gegenwart keineswegs heilsleer. Trotz der verbreiteten Tradition über das Aufhören der Wirkung des Geistes mit der Zerstörung des 1. Tempels bzw. mit dem Tod der letzten Propheten[103], kannten sie auch Geisteswirkungen in der Gegenwart. Sie verstanden aber das gegenwärtige Heil nicht als Gabe des Geistes. In diesem Zusammenhang ist zu bedenken, daß die rabbinische Heilslehre in starken Maße rationalistische Strukturen aufweist. Ein Verhältnis zwischen Gott und Mensch gibt es fast nur auf der intellektuellen Ebene, in einem Prozeß des Lehrens und Lernens. Man kann darin sowohl ein Erbe der palästinensischen Weisheit wie auch den Einfluß des hellenistischen Zeitgeistes sehen[104]. Die Tora hat die Funktionen der Weisheit, ihre Rolle als Offenbarungs- ebenso wie als Schöpfungsmittlerin übernommen und ist in mancher Hinsicht dem griechischen Logos ähnlich.

Mit der rabbinischen Toraontologie hängt es nun weiter zusammen, daß das rabbinische Weltbild – wenigstens gegenüber dem der Apokalyptik und der hellenistisch-jüdischen Weisheit – einen relativ optimistisch-monistischen Charakter trägt. Zwar findet man das apokalyptische Schema der beiden Äonen, doch ist der gegenwärtige Äon nicht in dem Maße wie in der Apokalyptik grundsätzlich und ausschließlich böse. In der Anthropologie zeigen

[101] Belege bei Bill II, S.133f; Sjöberg, ThW VI, S.381; A. Marmorstein, The Holy Spirit in Rabbinic Legend, in: Studies in Jewish Theology, ed. J. Rabbinowitz and M. S. Lew, 1950, S.122-144, dort S.128ff. P. Schäfer, a.a.O. S.127ff.
[102] Dazu Mach, a.a.O. S.51ff.
[103] Dazu R. Meyer, Art. προφήτης κτλ. C, ThW VI dort S.817ff; Goldberg, a.a.O. S.189-194; Schäfer, a.a.O. S.89-111.
[104] Vgl. Hengel, a.a.O. S.307-318; zur Eigenart des rabbinischen Glaubens s. auch R. Meyer, Tradition und Neuschöpfung im antiken Judentum, BAL, phil.-hist. Klasse 110, 2, 1965.

sich manche dualistische Elemente, doch hält die rabbinische Tradition grundsätzlich an der menschlichen Willensfreiheit fest[105]. Auch für eine dualistische Unterscheidung zwischen Sein und Schein ist in der rabbinischen Ontologie kaum Platz. Es wird nicht getrennt zwischen sichtbarem und unsichtbarem Israel, zwischen Gramma und Pneuma. Da die Neuschöpfung, die Wiederherstellung der Gottesebenbildlichkeit bei der Gesetzesgebung am Sinai stattgefunden hat[106], erscheint die Erwartung des zukünftigen Heils mehr am Rande.

Die Elemente, die sonst in der jüdischen Theologie die Voraussetzungen für eine pneumatische Soteriologie waren – von der Schrift „Joseph und Aseneth"abgesehen –, fehlen in der rabbinischen Überlieferung.

[105] Dazu R. Meyer, Hellenistisches in der rabbinischen Anthropologie, BWAT IV, 22, 1937, passim; H. J. Schoeps, Paulus, 1959, S.193ff.
[106] Dazu J. Jervell, a.a.O. S.83f.114ff.

4. KAPITEL.
DER GEIST UND DER EINTRITT
IN DAS REICH GOTTES
(*Fortsetzung*)

Wir nehmen jetzt die am Ende von Kap.2 gestellte Frage wieder auf, inwieweit die Vorstellung vom Heilswerk des Geistes, wie es in 1 Kor 6,9-11, Gal 5,19-24 und 1 Kor 15,44-50 beschrieben wird, als traditionell zu verstehen ist und wie sich Christus und der Geist als Heilsfaktoren bei der Taufe zueinander verhalten.

1. Das Heil in Christus

Für die früheste christliche Gemeinde war die Taufe ein Reinigungsbad, das in Hinblick auf das kommende Gericht die Sündenvergebung bewirkte[1]. Taufte diese Gemeinde auf den Namen Jesu, so übereignete sie damit den Täufling dem seit der Auferstehung zum Weltenrichter designierten Christus. Zwar schenkte das Wasserbad der Taufe schon in der Gegenwart Vergebung der in der Vergangenheit begangenen Sünden, doch erwartete man die Errettung durch Christus, die Rechtfertigung im Endgericht, die Einlaßgewährung in das Gottesreich und das Leben in Herrlichkeit „mit Christus" erst von der Zukunft[2]. Noch bei Paulus ist nicht nur das Maranatha aus der Abendmahlsliturgie, sondern auch das Taufbekenntnis „ΚΥΡΙΟΣ ΙΗΣΟΥΣ" auf die zukünftige Rettung bezogen (Röm 10,9).

Schon sehr früh aber, nicht zuletzt im Zusammenhang mit der Erfahrung der wunderwirkenden Kraft des Namens Jesu, entwickelte sich das Bewußtsein von der gegenwärtigen Wirksamkeit Christi in der Gemeinde[3]. Die Vorstellung wurde herrschend, daß Christus

---

[1] Vgl. Bultmann, Theologie des NT, S.41f.

[2] Vgl. H. Thyen, Studien, S.147ff; E. Schweizer, Jesus Christus im vielfältigen Zeugnis des Neuen Testaments, Siebenstern-Taschenbuch 126, 1968, S.117f.

[3] Dazu jetzt: W. Thüsing, Erhöhungsvorstellung und Parusieerwartung in der ältesten nachösterlichen Christologie, SBS 42, 1969, und die zustim-

sein messianisches Amt schon jetzt in der Gemeinde ausübe. Nach dieser Anschauung erfolgte die eschatologische Rechtfertigung, die Machtergreifung des Kyrios über den Menschen, schon in der Gegenwart, nämlich bei der Nennung des Namens des Kyrios bei der Taufe. Jetzt wurde die ganze Heilswirkung der Taufe, einschließlich der Sündenvergebung, christologisch begründet. Nicht das Wasserbad, sondern die Nennung des Namens war jetzt das entscheidende Heilsereignis. Dabei konnte man die Heilswirkung der Taufe dem durch die Auferstehung erhöhten Herrn zuschreiben, ohne von einer Heilsbedeutung des Todes Christi zu reden (vgl. Röm 8,29f; 10,9f; Apg 2,38; 5,31; 10,42f)[4].

Gleichzeitig aber entwickelte sich eine Reflexion über den Tod Jesu. Sei es, daß man diesen Tod zunächst nur als Durchgangsstadium zur Auferweckung bzw. zur Erhöhung sah oder daß man ursprünglich die Hoffnung auf das eschatologische Heil gerade im Ereignis des Todes Christi begründet fand[5], jedenfalls deutete man den Tod schon relativ früh als stellvertretendes und sühnendes Leiden. In den Briefen des Paulus findet man mehrere Stellen, an denen das im Tode Christi begründete Heil erst von der Zukunft erwartet wird (1 Thess 5,9f; Röm 5,12-21). Darin mag sich die älteste Anschauung spiegeln. Schon vor Paulus aber verband man mit dem Ereignis des Todes Jesu in erster Linie das gegenwärtige Heil, die Wirklichkeit des neuen Bundes, die schon jetzt anhebende Versöhnung des Kosmos (vgl. Röm 3,24ff; 2 Kor 5,18f). Dabei erfaßte man die Heilswirkung dieses Todes entweder als Vergebung der in der Vergangenheit begangenen Sünden, oder als Durchbrechung der Macht der Sünde (vgl. Röm 3,24f; 2 Kor 5,19 mit Gal 5,24). Wenn man hier „auf den Namen Christi" oder „auf

---

menden Bermerkungen von F. Hahn, Methodenprobleme einer Christologie des Neuen Testaments, VF 15, 1970, H.2, S.3-41, dort S.36f; vgl. auch E. Schweizer, Jesus Christus, S.68ff.

[4] Dazu W. Schrage, Das Verständnis des Todes Jesu Christi im Neuen Testament, in: Das Kreuz Jesu Christi als Grund des Heils, hg.v. F. Viering, 1967, S.49-89, dort S.60-64; G. Delling, Die Bedeutung der Auferstehung Jesu für den Glauben an Jesus Christus, in: Die Bedeutung der Auferstehungsbotschaft für den Glauben an Jesus Christus, hg.v. F. Viering, 1968[7], S.65-90, dort S.76-85.

[5] Dazu G. Schille, Anfänge der Kirche, BEvTh 43, 1966, S.125ff; A. Strobel, Kerygma und Apokalyptik, 1967, S.138ff; H. Gese, Psalm 22, S.17.

Christus" taufte, dann war der Blick vor allem auf das Heilsereignis in der Vergangenheit gerichtet[6].

Was nun die uns interessierenden Stellen betrifft, so begegnet die erstgenannte christologische Anschauung in *1 Kor 15,44ff*. Christus erscheint hier ausschließlich in seiner zukünftigen messianischen Funktion als Auferstandener. Seine Funktion ist es, den Gläubigen Anteil zu geben an seiner Auferstehungsherrlichkeit.

In *1 Kor 6,11* dagegen ist Christus als in der Gemeinde gegenwärtig gedacht. Als erhöhter und in der Gemeinde wirksamer Kyrios ist Christus der Auferstandene[7]. Die Parallelstelle 1 Kor 1,30 legt aber auch einen Bezug auf den Gekreuzigten nahe. Die Vorstellung ist dann diese, daß der erhöhte Herr bei der Nennung seines Namens das am Kreuz erworbene Heil dem Täufling übereignet[8].

In *Gal 5,24* ruht der Blick auf dem in der Vergangenheit Gekreuzigten. Zwar ist auch hier die Gegenwart Christi in der Gemeinde vorausgesetzt – sonst könnte nicht von den Gläubigen als von „denen, die Christus angehören" gesprochen werden –, doch erscheint der gegenwärtige Christus nicht in seiner Funktion als Auferstandener, sondern als Gekreuzigter.

2. Das Heil im Geist

Die früheste Gemeinde betrachtete sich als das endzeitliche Gottesvolk; aufgrund seines Glaubens an den zum Weltenrichter designierten Herrn war es sich seiner Rettung beim nahen bevorstehenden Endgericht sicher. Es waren vor allem die in der Gemeinde sichtbaren pneumatischen Wirkungen, die das Bewußtsein erweckten, die eschatologische Heilszeit sei schon in der Gegenwart

[6] Es gibt kaum Anhaltspunkte für eine lokale Einordnung der hier dargestellten christologischen Typen. Die hauptsächlich an der Auferstehung und die vorwiegend am Kreuz orientierte Christologie darf man nicht auf die palästinische und die hellenistische Gemeinde verteilen. Dasselbe gilt für die Christologie mit dem Akzent auf den Zukunftsaussagen und für diejenige mit dem Akzent auf der Gegenwart des Heils.

[7] Die These von W. Kramer, Christos Kyrios Gottessohn, AThANT 44, 1963, S.79 Anm.267, an den vorpaulinischen Haftpunkten des Kyriostitels komme der Topos der Erhöhung nicht in den Blick, ist in Hinblick auf Röm 10,9 und Phil 2,9-11 anfechtbar.

[8] Vgl. G. Delling, Die Zueignung des Heils in der Taufe, o.J., S.56.72.

Realität. Die pneumatischen Gaben, nämlich Prophetie, Erkenntnis, Zungenreden und Heilungswunder, wurden als Erfüllung der prophetischen Verheißungen verstanden. Wenn Paulus im Zusammenhang mit der Gabe des Geistes wörtlich oder sachlich auf Ez 36,27 oder Jer 31,33f Bezug nimmt (vgl. 1 Thess 4,8; Röm 15,14), so folgt er darin der gemeinchristlichen Tradition. Da die Gabe des Geistes als Besitz der Gemeinde galt, in die man durch die Taufe aufgenommen wurde, ist es nicht verwunderlich, daß die Geistverleihung schon bald mit der Taufe verbunden wurde[9].

Im Blick auf das alttestamentlich-jüdische Geistverständnis, wie wir es nachzuzeichnen versucht haben, ist es ohne weiteres verständlich, daß die frühe Gemeinde den Geist nicht nur unter dem Aspekt des Wunderbaren betrachtete, sondern ihm auch Heilsbedeutung zuschrieb. E. Schweizers These, der Geist erscheine im AT und „im ganzen Judt" nicht als heilsnotwendig, sondern als Kraft zu zusätzlichen Taten[10], ist unhaltbar. Die Anschauung, der Zutritt zur Sphäre Gottes sei nur durch die Gabe des Geistes zu erlangen, läßt sich in den alttestamentlichen Texten seit der Exilszeit belegen und spielt im ersten vor- und im ersten nachchristlichen Jahrhundert sowohl im palästinensischen als auch im hellenistischen Judentum eine entscheidende Rolle. Ebenfalls gegen E. Schweizer ist zu sagen: die verbreitete Verwendung von substantiellen Kategorien bestimmt wohl das „Wie", aber nicht das „Daß" der Anschauung von der Heilsnotwendigkeit des Geistes.

Auf dem alttestamentlich-jüdischen Hintergrund ist die Geistvorstellung von *1 Kor 15,44ff* weitgehend verständlich. Für die Schöpfungsfunktion des Geistes, für den Gegensatz von Fleisch und Geist als substantiell verschiedener Bereiche, wie auch für den Zusammenhang von Geistbegabung und Wiederherstellung der Gottebenbildlichkeit bzw. der paradiesischen Doxa läßt sich eine Fülle von Belegen aus dem palästinensischen und dem hellenistischen Judentum anführen. Die Anschauung von einem himmlischen σῶμα πνευματικόν findet sich zwar nicht in derselben Form, doch lassen sich Ansätze dazu erkennen[11].

[9] Gegen Bultmann, Theologie des NT, S.42.142; mit W. G. Kümmel, Das Urchristentum I,ThR NF 22, 1954, S.138-170, dort S.143; ders., Die Theologie des Neuen Testaments nach seinen Hauptzeugen, NTD, Ergänzungsreihe 3, 1969, S.117; E. Schweizer, ThW VI, S.411; H. Thyen, Studien, S.149f.

[10] ThW VI, S.413 Z.13ff.   [11] Vgl. oben S. 50.

Auch die Vorstellung von *Gal 5,22f*, wo der Geist im Gegensatz zum Fleisch den gerechten Wandel ermöglicht, läßt sich in den Rahmen des alttestamentlich-jüdischen Denkens leicht einordnen. Wenn man die Tradition von Gal 5,22f berücksichtigt, läßt sich die Geistanschauung von *1 Kor 6,11* schon ein Stück weit verstehen. Wo der Geist den gerechten Wandel ermöglicht, ist er zugleich der Garant für den Freispruch beim Endgericht und für den zukünftigen Einlaß in das Gottesreich. Antizipierend können so als Wirkungen des bei der Taufe verliehenen Geistes die Rechtfertigung und die Heiligung genannt werden. Nun findet sich aber im alttestamentlich-jüdischen Bereich nicht nur der Gedanke von der Rechtfertigung der Gerechten durch den Geist, sondern auch die Anschauung, daß der Gottesgeist die Reinigung von Sünden und kultischer Unreinheit bewirkt, bzw. daß die rechtfertigende und heiligende Wirkung des Geistes sich auf den Sünder bezieht. Die Vorstellung von der reinigenden, heiligenden und rechtfertigenden Wirkung des Gottesgeistes findet sich immer im Rahmen eines spiritualisierenden Kultverständnisses, im Ansatz in Ps 51, ausführlich in den Qumrantexten und im beschränkten Maße auch bei Philo. Nun verstand sich die frühe christliche Gemeinde kraft der ihr verliehenen Gabe des Geistes als eschatologischer Tempel; ihr Wandel war für sie das wahre Opfer (1 Kor 3,16f; 2 Kor 6,14ff; Röm 12,1; 15,16)[12]. In dieses spiritualisierende Denken läßt sich die Vorstellung von der reinigenden Funktion des Geistes leicht einfügen. Analog zu dem über das Onoma des Herrn Gesagte gilt auch hier, daß die Funktion, die ursprünglich dem Taufbad als solchem zugeschrieben wurde, nun als Wirkung des bei der Taufe verliehenen Geistes aufgefaßt ist.

Hatten wir oben[13] festgestellt, daß an allen drei der behandelten Stellen sich die Funktionen des Geistes mit denen Christi decken, so ist jetzt hinzuzufügen: sämtliche Funktionen des Geistes, die

[12] Dazu O. Betz, Le ministère cultuelle dans la secte de Qumrân et dans le christianisme primitif, in: La secte de Qumrân et les origins du christianisme, Recherches bibliques IV, 1959, S.162-202; B. Gärtner, Temple, S.47ff; R. J. McKelvey, The New Temple, Oxford Theological Monographs, 1969, S.92ff; G. Klinzing, a.a.O. S.167-224. Auch hier braucht man den Begriff der Spiritualisierung nicht zu vermeiden, und zwar dann nicht, wenn man den nt. Pneumabegriff zugrundelegt; gegen K. Galley, Altes und neues Heilsgeschehen bei Paulus, Arbeiten zur Theologie I, 22, 1965, S.10f.
[13] S. 32f.

Reinigung, Heiligung und Rechtfertigung in der Vergangenheit, der neue Wandel in der Gegenwart und die Neuschöpfung in der Zukunft lassen sich als solche von der alttestamentlich-jüdischen Tradition her verstehen. Zur Erklärung dieser Funktionen braucht man die christologische Bindung des Geistes nicht heranzuziehen. Damit ist Conzelmanns These, daß die Bedeutung des Geistes für die Rechtfertigung nicht von der Pneumatologie, sondern nur von der Christologie und der Rechtfertigungslehre her zu verstehen sei, widersprochen[14].

3. Christus und der Geist

Wenn sich die genannten Funktionen des Geistes an sich allesamt ohne Bezugnahme auf eine Bindung des Geistes an Christus erklären lassen, so ist damit nicht gesagt, daß nicht faktisch im Text jeweils eine solche Bindung vorausgesetzt ist. Auf das genauere Verhältnis von Christologie und Pneumatologie ist jetzt näher einzugehen.

Es ist unbestreitbar, daß schon relativ früh in der nachösterlichen Gemeinde Christus und der Geist zueinander in Beziehung gesetzt wurden. Zunächst ist darauf hinzuweisen, daß die in der Gemeinde geschehenen und als pneumatisch geltenden Wundertaten von Anfang an im Namen Jesu geschahen (vgl. Apg 4,29ff). Eine ausgeprägte Reflexion über die Stellung des Erhöhten braucht dabei nicht vorausgesetzt zu werden. Der Blick konnte auch auf Macht und Wirksamkeit des irdischen Jesus gerichtet sein (vgl. Mk 9,38f). Doch war von hier aus der Schritt, die Geisteswirkungen mit dem messianischen Amt Christi in Verbindung zu bringen, nicht weit[15].

Hinzu kommt, daß in der Auferstehungstradition schon relativ früh eine Verbindung zwischen dem Geist und dem messianischen Amt Christi hergestellt wurde. Das frühe Credo „Gott hat Christus von den Toten auferweckt" (vgl. Röm 10,9) wird in der paulinischen Tradition oft ergänzt durch eine Angabe über die Auferweckungsmacht: Gottes δύναμις (1 Kor 6,14; 2 Kor 13,4), seine δόξα (Röm 6,4), seine ἐνέργεια (Kol 2,12) und auch sein πνεῦμα (Röm 8,11).

---

[14] Vgl. oben S. 20.25.
[15] Vgl. W. Thüsing, a.a.O. S.50f.66ff.

Das relativ hohe Alter der Verbindung von Geist und Auferweckung Christi geht aus der vorpaulinischen christologischen Formel Röm 1,3f hervor, wo gesagt wird, daß Christus aufgrund der Totenauferstehung „nach dem Geist der Heiligkeit" zum Sohn Gottes eingesetzt sei[16]. Die Erwähnung des Geistes in diesen Aussagen bezieht sich nicht nur auf den Akt der Auferweckung als solchen, sondern auch auf die durch diesen Akt eröffnete neue Daseinsweise und Funktion Christi. Es ist hier einmal zu erinnern an die in der Apokalyptik und in der hellenistisch-jüdischen Weisheit begegnende Vorstellung, nach der die Erhöhung in den himmlischen Bereich mit einer Verwandlung in Geistsubstanz und mit einer Geistbegabung gepaart geht. Sodann hat die an Jes 11,2 anknüpfende jüdische Tradition von der Geistbegabung des Messias im Sinne einer Zurüstung für sein Amt eine Rolle gespielt[17].

Von hier aus läßt sich *1 Kor 15,44ff* verstehen, daß Christus durch seine Auferstehung zum lebendigmachenden Pneuma geworden ist. Inwieweit im Einzelnen außer den genannten Faktoren

[16] κατὰ πνεῦμα ἁγιωσύνης ist der vorpaulinischen Tradition zuzurechnen; gegen Bultmann, Theologie des NT, S.52; O. Michel, Der Brief an die Römer, MeyerK, 1966⁴, z.St.; O. Kuß, Röm, z.St.; K. Wengst, Formeln, S.104ff; mit E. Schweizer, Röm 1,3f und der Gegensatz von Fleisch und Geist vor und bei Paulus, (EvTh 15, 1955) in: Neotestamentica, S.180-189, dort S.180f; K. Wegenast, Das Verständnis der Tradition bei Paulus und in den Deuteropaulinen, WMANT 8, 1962, S.71ff; Ferd. Hahn, Christologische Hoheitstitel, FRLANT 83, 1964², S.251ff; W. Kramer, a.a.O. S.105ff; J. Blank, Paulus und Jesus, SANT 18, 1968, S.250ff. In der Forschung werden durchweg die beiden Bestimmungen „nach dem Fleische" und „nach dem Geist der Heiligkeit" als zur selben Traditionsstufe gehörig verstanden. Die zweite Bestimmung ist jedoch gut ohne die erste denkbar; es ist möglich, daß sie älter ist und die erste später an sich gezogen hat. Ähnlich jetzt: E. Linnemann, Tradition und Interpretation in Röm 1,3f, EvTh 31, 1971, S.264-275; nach Linnemann freilich sprach die Tradition von Jesus als dem Davidssohn, der seit der Auferstehung der Toten zum Sohn Gottes eingesetzt sei ἐν δυνάμει πνεύματος ἁγιωσύνης. Paulus habe in diese Bestimmung lediglich das Wort κατὰ eingefügt und durch die Hinzufügung der Worte κατὰ σάρκα die Herkunft Jesu aus dem Samen Davids eingeschränkt.
[17] Dazu M-A. Chevallier, L'Esprit et le Messie; K. Berger, Zum traditionsgeschichtlichen Hintergrund christologischer Hoheitstitel, NTS 17, 1970/71, S.391-425, dort S.393-400, findet in Röm 6,4; 8,11 und 2 Kor 13,4, wo der Christus-Titel im Zusammenhang mit der Tradition von der Auferweckung bzw. Geistbegabung Jesu vorkommt, die Vorstellung vom endzeitlichen Propheten.

die von Paulus hier aufgenommene jüdische Anthroposspekulation zur Bildung der Vorstellung vom Pneuma-Christus beigetragen hat, ist schwer zu entscheiden. Die vereinzelten rabbinischen Zeugnisse, die den Gottesgeist in Gen 1,2 auf den Messias deuten[18], tragen für diese Frage kaum etwas aus. Hinzuweisen ist in diesem Zusammenhang aber auf die Tatsache, daß Anthropos- und Weisheitsspekulation im Judentum oft eine Einheit bilden[19]. Wir müssen diese Frage jedoch auf sich beruhen lassen. Festzuhalten ist, daß hier, wo nur das zukünftige Heilsereignis in Betracht kommt, der Geist ausschließlich in seiner Bindung an Christus erscheint. Als eschatologischer Adam ist Christus sowohl in seiner Substanz als auch in seiner Funktion Pneuma. Als Pneuma erschafft Christus die Seinen nach seinem Bilde, und das heißt: er verwandelt sie in seine pneumatische Wesensart[20]. Das Pneuma erscheint umgekehrt nur in der Funktion und in der Person des eschatologischen Messias.

Anders aber ist der Sachverhalt dort, wo nicht die Auferstehung

---

[18] Dazu W. Staerk, Soter II, S.25; J. Jervell, Imago Dei, S.98 Anm.105.
[19] Zum Anthropos-Mythos vgl. die bei Conzelmann, 1 Kor, S.338 Anm.38 genannte Literatur; außerdem: R. Scroggs, The last Adam, a Study in pauline Anthropology, 1966; C. K. Barrett, From the first Adam to the last, 1962; L. Schottroff, Der Glaubende und die feindliche Welt, WMANT 37, 1970, passim; zur Kombination von Anthropos- und Weisheitsspekulation: H. Hegermann, Die Vorstellung vom Schöpfungsmittler im hellenistischen Judentum und Urchristentum, TU 82, 1961, S.6-87; J. C. H. Lebram, Nachbiblische Weisheitstraditionen, VT 15, 1965, S.167-237, dort S.197ff; A. Feuillet, Le Christ Sagesse de Dieu, Études bibliques, 1966, S.152ff.327ff. 388ff.
[20] Ebensowenig wie die Frage nach dem σῶμα πνευματικόν (vgl. dazu die bei E. Güttgemanns, Der leidende Apostel und sein Herr, FRLANT 90, S.265 Anm.122-123 und J. P. Versteeg, Christus en de Geest, S.62f Anm.360 zusammengestellten Forschungsmeinungen), darf die Frage, ob von Christus als Pneuma in substantiell-räumlichen oder in geschichtlich-eschatologischen Kategorien zu reden ist, im Sinne einer Alternative beantwortet werden. Das gilt als Haupteinwand gegen das genannte Buch von Versteeg. Versteeg bestimmt das Verhältnis zwischen dem auferstandenen Christus und dem Geist bei Paulus als „eschatologisch" und meint durch diese Bestimmung nicht nur ein trinitarisches, ein animistisches, ein gnostisches, ein existentielles, ein aktualistisches und ein dynamisches Verständnis ausschließen zu können, sondern auch eine Auffassung, die ontologische und räumliche Kategorien verwendet (a.a.O. S.381ff). Doch sind Eschatologie und Ontologie, räumliches und zeitliches Verständnis bei Paulus nicht in dieser Weise zu trennen.

und die zukünftige Funktion Christi, sondern das Heilswerk in der Vergangenheit, der Kreuzestod, im Blick ist. Als Erniedrigter und Gekreuzigter ist Christus seiner Wesensart nach nicht als pneumatisch verstanden – von doketischen Tendenzen sei hier abgesehen –, aber seine Funktion als Gekreuzigter kann sich mit der des Pneumas decken (vgl. Gal 3,13f; Röm 8,3f)[21].

Schwieriger aufzuhellen sind die Stellen, wo Christus als in der Gemeinde gegenwärtig erscheint, wo die paradoxe Identität des Erhöhten mit dem Gekreuzigten vorausgesetzt ist[22]. Einerseits gilt, daß Christus Gestalt und Funktion des Erniedrigten auch in der Gegenwart hat, andererseits aber haftet ihm in der Gegenwart nicht mehr die Substanz des Irdischen, das der Sünde verfallene Fleisch an. Die Christen kennen nach Paulus den Gekreuzigten nicht mehr dem Fleische nach (2 Kor 5,16). Der in der Gemeinde gegenwärtige gekreuzigte Christus ist seiner Substanz und Wesensart nach pneumatisch. Doch kann man, wo von der Gegenwart des Gekreuzigten die Rede ist, nicht in derselben uneingeschränkten Weise vom Pneuma-Christus sprechen, wie dort, wo er ausschließlich unter dem Aspekt des Auferstandenen in Erscheinung tritt.

Bei der Taufe nun, wo Christus wie auch der Geist als gegenwärtige Heilsfaktoren genannt sind, ist der Zusammenhang zwischen beiden in verschiedener Weise denkbar:

Im Rahmen der Vorstellungen der frühesten Christenheit ist eine Anschauung denkbar, wonach das Taufbad unter dem Aspekt der Vergebung der Sünden aus der Vergangenheit, die Nennung des Namens Christi unter dem der Übereignung an den zukünftigen Weltenrichter und die Verleihung des Geistes in Hinblick auf die Gegenwart als Befähigung zum gerechten Wandel bis zum Endgericht betrachtet wurde[23]. Es konnte auch die Wirkung Christi als Sündenvergebung in Hinblick auf die Vergangenheit, die des Geistes als Macht der Bewährung in Hinblick auf die Gegenwart gesehen werden. In beiden Fällen gilt Christus seinem Wesen nach

---

[21] Dazu unten S. 88ff.122ff.
[22] Vgl. E. Güttgemanns, a.a.O. passim; E. Käsemann, Das theologische Problem des Motivs vom Leibe Christi, in: Paul. Persp., S.178-210, dort S.191-197.
[23] Vgl. die Erwägungen von Ferd. Hahn, Hoheitstitel, S.107f und W. Thüsing, Erhöhungsvorstellung, S.18ff.33ff.48ff.

zwar als pneumatisch, seine Funktionen decken sich aber nicht mit denen des Geistes. Die Wirkung des Geistes in der Gegenwart ist hier nicht christologisch begründet.

Wo aber die Wirkung des Geistes faktisch mit der Wirkung Christi bei der Taufe zusammenfällt, dort ist zu erwägen, ob nicht ein innerer Zusammenhang zwischen beiden besteht in dem Sinne, daß der Geist als Geist Christi verstanden ist. Ein solcher Zusammenhang ist aber nicht von vornherein anzunehmen. Das läßt sich an Gal 5,22-24 und an 1 Kor 6,11 illustrieren.

In *Gal 5,22ff* erscheint, wie wir sahen, der in der Gemeinde gegenwärtige Christus in seiner Funktion als Gekreuzigter, und seine Wirkung fällt faktisch mit der des Pneumas zusammen. Das verbindende δέ in V.24 bezieht sich direkt oder indirekt wie das in V.22 auf die Aussage von V.21, so daß die Heilsfaktoren Pneuma und Christus in genauer Parallelität zueinander stehen. Die Exegese kann sich nun begnügen mit der Feststellung der faktischen Parallelität der beiden Heilsfaktoren bei traditionsgeschichtlich völlig verschiedenen Wurzeln. Sie kann aber auch versuchen, den inneren Zusammenhang der beiden Faktoren aufzuweisen, etwa indem sie V.24 als Begründung zu V.22f versteht. Für einen solchen Versuch gibt der Text aber zu wenig Anhaltspunkte, um sichere Schlüsse ziehen zu können.

Ähnliches gilt für *1 Kor 6,11*. Auch hier erscheint der bei der Taufe gegenwärtige Christus als Erhöhter und als Gekreuzigter zugleich, und wieder fällt seine Funktion mit der des Geistes zusammen. Sachlich ist es berechtigt, das die beiden Heilsfaktoren in V.11b verbindende καί als explikativ zu verstehen. Man kann aber ebensogut in diesem Partikel die traditionsgebundene Unterscheidung beider Größen betont sehen. Im ersten Fall könnte man sagen, der Geist habe die Funktionen Christi übernommen. Jedoch dürfte durch unsere Untersuchung deutlich geworden sein, daß das nicht bedeuten kann, der Geist habe damit Funktionen übernommen, die ihm von Haus aus – im Rahmen des alttestamentlich-jüdischen Denkens – fremd sind. Auch das Umgekehrte würde gelten: Christus übe die Funktionen des Geistes aus.

Wenn man sich für die christologische Bindung des Geistes entschließt, darf man kaum in 1 Kor 6,11 – und dasselbe gilt m.m. auch für Gal 5,22ff – etwa mit E. Schweizer zwischen dem Namen Christi und dem Geist unterscheiden als zwischen dem objektiven und dem subjektiven Faktor des Heils[24] oder mit H. Conzelmann den Geist ausschließlich unter dem Aspekt der Übertragung des Heilswerks sehen[25]. Wenn man hier die Kategorien „objektiv" und „subjektiv" schon verwenden will[26], dann ist zutreffender davon zu reden, daß das Onoma und das Pneuma in gleicher Weise objektive und subjektive Faktoren sind. Einerseits hat das Onoma Christi nicht weniger mit der Übertragung des Heils zu tun als das Pneuma, andererseits ist der Geist als Macht oder Machtbereich nicht weniger als das Onoma ein Faktor „extra nos"[27]. Schließlich kann man nicht mit Stuhlmacher sagen, Paulus brauche den Pneumabegriff als „ontologische Brücke"[28]. Von dem paulinischen und vorpaulinischen Pneumaverständnis her wenigstens läßt es sich nicht rechtfertigen, wenn man in der Weise, wie Stuhlmacher es tut, zwischen dem Heil als Macht und als Gabe unterscheidet[29].

---

[24] ThW VI, S.424 Z.20ff; vgl. dagegen aber ders., Beiträge, S.197ff.

[25] Grundriß, S.233f.

[26] G. Schrenk, Art. δίκη κτλ, ThW II, dort S.226 bezweifelt, ob man diese Kategorien innerhalb der paulinischen Rechtfertigungslehre überhaupt sinnvoll verwenden kann; vgl. zur Frage auch E. Güttgemanns, „Gottesgerechtigkeit" und strukturale Semantik, in: ders., Studia linguistica neotestamentica, BEvTh 60, S.59-98, dort S.86.

[27] H. A. W. Meyer, Kritisch-exegetisches Handbuch über den ersten Brief an die Korinther, MeyerK, 1870[5], S.164, sieht gerade in der Anrufung des Namens das subjektive und in der Gabe des Geistes das objektive Moment. Nach W. Heitmüller, Im Namen Jesu, S.74ff; J. Weiß, 1 Kor, S.155f; R. Asting, Heiligkeit, S.213 sind sowohl der Name Jesu als auch der Geist als die objektiven Faktoren des Heils zu betrachten; vgl. auch G. Braumann, Taufverkündigung, S.37.

[28] Gerechtigkeit Gottes, S.76.208f.

[29] Von einer anderen Seite her, nämlich vom Begriff der Gottesgerechtigkeit aus, erhebt U. Luz, Das Geschichtsverständnis des Paulus, BevTh 49, 1968, S.169 Anm.128, denselben Einwand.

5. KAPITEL.

DER GEIST UND DAS ERBE ABRAHAMS

(Gal 2,15-5,12)

Die bisher behandelten Stellen waren im wesentlichen von der Tradition bestimmt. Ein spezifisch paulinisches Element ist noch nicht sichtbar geworden. Im Galaterbrief läßt sich beobachten, wie Paulus diese Tradition nicht nur aufnimmt, sondern wie er sie auch an entscheidender Stelle neu interpretiert.

Paulus verteidigt im Galaterbrief sein Apostolat und sein gesetzesfreies Evangelium gegenüber Vorwürfen von judenchristlich-nomistischer Seite[1]. Nachdem er zunächst auf seine Berufung und sein Verhältnis zu den „Säulen" in Jerusalem eingegangen ist, bringt er ab 2,15 Argumente von mehr grundsätzlich theologischer Art[2]. Die Rechtfertigung des Menschen vor Gott, so lautet seine zentrale These, erfolgt nicht aufgrund von Gesetzeswerken, sondern ausschließlich durch den Glauben an Jesus Christus.

1. *Der Geist und die Glaubensgerechtigkeit (2,15-3,5)*

In 2,15-3,1 begründet Paulus seine These zunächst mit dem Hinweis auf die Verkündigung des gekreuzigten Christus. Die urchristliche Verkündigung des Heilstodes Jesu polemisch zuspit-

---

[1] Zur Auseinandersetzung des Paulus mit seinen Gegnern s. jetzt: J. Eckert, Die urchristliche Verkündigung im Streit zwischen Paulus und seinen Gegnern nach dem Galaterbrief, Biblische Untersuchungen 6, 1971. Zum paulinischen Verständnis von „Evangelium" vgl. P. Stuhlmacher, Das paulinische Evangelium I, FRLANT 95, 1968; E. Grässer, Das eine Evangelium. Hermeneutische Erwägungen zu Gal 1,6-10, ZThK 66, 1969, S. 306-344.

[2] Die Rede des Paulus gegen Petrus, die in 2,14 anfängt, geht ohne deutliche Abgrenzung in eine Rede an die Galater über. Vgl. außer den Kommentaren z.St.: G. Klein, Individualgeschichte und Weltgeschichte bei Paulus, (EvTh 24, 1964) in: ders., Rekonstruktion und Interpretation, BEvTh 50, 1969, S.180-224, dort S.180; U. Luz, Geschichtsverständnis, S.146 Anm.41.

zend, sagt er: die durch Christi Tod begründete Rechtfertigung aus Gnade schließt jeglichen anderen Heilsweg aus. Den Judenchristen sind durch ihre Bekehrung die Augen dafür geöffnet worden, daß sie als Juden, trotz Besitz des Gesetzes, genauso wie die Heiden vor Gott Sünder waren[3]. Wer durch die Taufe[4] am Tode Christi Anteil bekommen hat und mit Christus gekreuzigt ist, ist dem Gesetz gestorben. Das ihm neu eröffnete Leben im Dienst Gottes ist ganz und gar bestimmt vom Glauben an den für ihn gekreuzigten Gottessohn. Die Identität, die er hat, ist keine andere als die des gekreuzigten Christus.

Anzumerken ist zweierlei. Zum einen: Die Taufanschauung, die Paulus hier aufnimmt, redet von Christus als dem Gekreuzigten. Zwar setzt der Gedanke, daß Christus in den Gläubigen „lebt", die Erhöhung Christi und die Vorstellung von seinem pneumatischen Wesen voraus. Zu beachten ist aber, daß Christus nicht in seiner Funktion als Auferstandener, sondern in der Funktion des Gekreuzigten erscheint. Und zum anderen: Der Gedanke, daß im Teilhaben am Tode Jesu die Freiheit vom Gesetz gegründet sei, stammt aus der vorpaulinischen hellenistischen Gemeinde. Typisch paulinisch aber ist, in welcher Grundsätzlichkeit und Schärfe dieser Gedanke hier ausgesprochen wird.

Außer auf die Verkündigung des gekreuzigten Christus weist Paulus nun zur Begründung seiner These in 3,2-5 hin auf den Geist, den die Galater empfingen, als sie zum Glauben kamen bzw. als sie getauft wurden, und der sich immer noch in der Gemeinde in sichtbaren Wundern als wirksam erweist.

Bedenkt man, wie zurückhaltend Paulus sichtbare Beweise für die Gegenwart des Geistes anführt, wenn er dazu von seinen Gegnern aufgefordert wird (vgl. 2 Kor 4,18; 5,12f; 11,23-33; 13,3f), dann ist kaum anzunehmen, Paulus gehe hier auf eine ausdrückliche Behauptung der Galater ein, sie hätten den Geist empfangen[5].

---

[3] Zur Exegese von V.17 vgl. die eingehende Analyse von G. Klein, a.a.O. S.185-195, und die kritischen Bemerkungen dazu von U. Wilckens, Was heißt bei Paulus: „Aus Werken des Gesetzes wird niemand gerecht", in EKK, Vorarbeiten H.1, 1969, S.51-77, dort S.61 Anm.26.

[4] In V.19 liegt ein Bezug auf das Taufgeschehen vor; mit H. Schlier, Gal, z.St.; gegen R. C. Tannehill, Dying and Rising with Christ, S.59.

[5] Gegen W. Schmithals, Die Häretiker in Galatien, (ZNW 47, 1956) in: ders., Paulus und die Gnostiker, ThF 35, 1965, S.9-46, dort S.32.

Einsichtiger als eine angenommene Polemik gegen einen anderen Geistbegriff ist die Erklärung, daß Paulus hier vom Geist spricht, weil er genau wie in 1 Kor 6,9-11 par auf die Tauftradition zurückgreift. Er spricht die Galater in 2,19-3,5 auf das ihnen grundlegend in der Taufe geschenkte Heil, auf den Anteil am Tode Jesu und die Gabe des Geistes, hin an[6].

Aus V.5 geht hervor, daß Paulus bei der Gabe des Geistes an sichtbare Wunderwirkungen wie Ekstase und übernatürliche Heilungen denkt. Diese Wunderwirkungen sind nach Paulus schon deshalb eine Legitimation der Verkündigung der Glaubensgerechtigkeit, weil die Galater den Geist nicht als Juden aufgrund von Gesetzeswerken, sondern als Christen aufgrund der Predigt des Glaubens empfangen haben[7]. Die Verbindung zwischen der Gabe des Geistes und der Rechtfertigung aus Glauben ist aber noch enger zu sehen. Wenn Paulus in V.3 sagt, daß der Anfang der Galater im Geiste geschah, und er dem Begriff des Geistes antithetisch den des Fleisches gegenüberstellt, so versteht er Pneuma als existenzbestimmende Macht oder Sphäre[8]. Mit der Frage, ob die Galater im Fleische enden wollen, deutet er nicht hin auf ein Aufhören der Wunderwirkungen in der Gemeinde, sondern auf die Bedrohung ihrer christlichen Existenz. Bezeichnet Sarx hier die Macht, die dazu verführt, die Gerechtigkeit aufgrund von Gesetzeswerken zu suchen, so ist Pneuma in diesem Zusammenhang die Macht, die das Leben aus der Glaubensgerechtigkeit bestimmt. Auch hier gilt also, daß im wesentlichen das vom Geist geschenkte mit dem von Christus bewirkten Heil identisch ist.

Wie in 1 Kor 6,9ff und Gal 5,19ff gilt auch hier, daß obwohl Christus als pneumatisches Wesen gedacht ist und das Heilswerk Christi mit dem des Geistes im wesentlichen zusammenfällt, trotzdem der Geist nicht explizit als Geist Christi im Sinne der Dynamis des Auferstandenen bezeichnet ist. Gerade die traditionsbedingte Unterscheidung der beiden Heilsfaktoren springt hier ins Auge.

Doch ist über das Verhältnis von Christologie und Pneumatologie

---

[6] Diese in der Tradition begründete Zusammengehörigkeit von 3,2-5 mit 2,19-3,1 ist von den meisten Kommentatoren übersehen.

[7] ἀκοὴ πίστεως bezeichnet die „Predigt des Glaubens", vgl. Bauer, WB, Sp. 61; Schlier, Gal, z.St.

[8] Vgl. E. Schweizer, ThW VI, S.425f; Neotestamentica, S.182f.

an dieser Stelle mehr zu sagen als bei 1 Kor 6,9ff und Gal 5,19ff. Dort wurden die beiden Heilsfaktoren Christus und der Geist, verbunden durch die Partikeln καί und δέ, einfach nebeneinander gestellt. Hier aber besteht zwischen der Gabe des Geistes und der Wirksamkeit Christi ein Kausalzusammenhang. Die Gabe des Geistes erscheint als Folge der Glaubensverkündigung bzw. der Christusverkündigung[9]. Sachlich bedeutet das für Paulus: Der Geist ist die Macht der Gerechtigkeit χωρὶς νόμου, die Dokumentation der Glaubensgerechtigkeit.

Sahen wir im vorigen Kapitel, daß die Anschauung vom Geist als Macht der Gerechtigkeit als solche sich auch ohne eine spezifische Bindung des Geistes an Christus erklären läßt, so verhält es sich anders, wenn der Geist als Macht der Glaubensgerechtigkeit erscheint. Ohne daß in Gal 3,2ff der Geist als Geist Christi verstanden ist, muß man doch sagen, daß hier die Pneumatologie entscheidend von der Christologie her geprägt ist und zwar von der typisch paulinischen Kreuzestheologie her. Ebenso wie Paulus, das traditionelle Gnadenverständnis polemisch zuspitzend, das in Christus geschenkte Heil in ausschließlichem Gegensatz zur Gerechtigkeit aus dem Gesetz versteht, so kann für ihn auch der Geist nur die Glaubensgerechtigkeit χωρὶς ἔργων νόμου bewirken. Dieses Verständnis des Geistes als Macht und Dokumentation der Glaubensgerechtigkeit ist als ein paulinisches Proprium zu betrachten.

2. Der Geist und der verheißene Segen (3,6-3,14)

In 3,6-4,7 und 4,21-31 entwickelt Paulus das in 2,15-3,5 Gesagte weiter und liefert zugleich den Schriftbeweis für seine These. In einer Kette von Midraschim über die Abrahamverheißung, in die traditionelle kerygmatische Elemente eingeflochten sind, stellt er hier den Abrahambund dem Mosebund gegenüber[10]. Die Argu-

---

[9] Vgl. für den Zusammenhang von Wortverkündigung und Geistempfang auch 1 Thess 1,5f und Röm 15,15ff.

[10] Zur formellen Eigenart der Midraschimkette: W. Windfuhr, Der Apostel Paulus als Haggadist, ZAW, NF 3, 1926, S.327-330; W. Koepp, Die Abraham-Midraschimkette des Galaterbriefes als das vorpaulinische heidenchristliche Urtheologumenon, WZ Rostock 2, 1952/53, S.181-187. Koepps These, der Grundstock der Midraschimkette lasse sich auf die frühe antiochenische Gemeinde zurückführen, ist nicht ausreichend begründet.

mentation, die merkwürdig kreisförmig verläuft, ist beherrscht von Antithesen.

In V.6-14 steht die Antithese Segen-Fluch zentral. Aus Gen 15,6 und 12,3 (bzw. 18,18) folgt nach Paulus, daß nur diejenigen Söhne Abrahams sind und somit des verheißenen Segens teilhaftig werden, die aus dem Glauben leben[11]. Nur deswegen konnte die Schrift von der universalen Bedeutung dieses Segens für πάντα τὰ ἔθνη reden, weil sie voraussah, daß Gott die Heiden aus Glauben rechtfertigen würde. Aus Dtn 27,26 in Kombination mit Hab 2,4 und Lev 18,5 folgert Paulus auch umgekehrt, daß diejenigen, die aus Gesetzeswerken leben, unter dem Fluch stehen. Das Gesetz verlangt nicht Glauben, sondern Tun und verflucht jeden, der nicht alles darin Befohlene hält. Dieser Forderung aber – so setzt Paulus als selbstverständlich voraus – genügt keiner[12].

Diese Argumentation mündet in die paradoxe Christusverkündigung: Christus hat uns von dem Fluch des Gesetzes freigekauft, indem er an unserer Stelle am Kreuz zum Verfluchten wurde, damit in Christus der Segen Abrahams für die Heiden wirksam würde, oder „damit wir den verheißenen Geist[13] empfingen durch den Glauben" (V.13f).

Paulus verwendet hier ein geprägtes Schema des christologischen Kerygmas, dessen Formelemente darin bestehen, daß der Vordersatz das Heilswerk Christi und zwar als solches nur seine Erniedrigung beschreibt und der durch ἵνα eingeleitete Nachsatz in antithetischer Entsprechung dazu die Heilsbedeutung für die Gemeinde formuliert[14]. Das Schema ist eine Variante der kürzeren Formel „Christus ist gestorben für uns". Aus der Tradition kannte

---

[11] Dazu Ferd. Hahn, Gen 15,6 im Neuen Testament, in: Probleme biblischer Theologie, Festschrift G. v. Rad, hg.v. H. W. Wolff, 1971, S.90-107, dort S.97ff.

[12] Zur Frage, inwieweit die paulinische Deutung von Dtn 27,26 der ursprünglichen Intention entspricht, vgl. den oben Kap.3 Anm.4 genannten Aufsatz von M. Noth.

[13] τοῦ πνεύματος in V.14 ist gen. epexeg.; vgl. Bauer, WB, Sp.555.

[14] Vgl. 1 Thess 5,9f; Gal 4,4f; 2 Kor 5,15.21; 8,9; Röm 8,3f. Zu diesem Schema: E. Stauffer, Die Theologie des Neuen Testaments, 1948⁴, S.320; ders., Art. ἵνα, ThW III, dort S.328; N. A. Dahl, Formgeschichtliche Beobachtungen zur Christusverkündigung in der Gemeindepredigt, in: Neutestamentliche Studien für R. Bultmann, BZNW 21, 1954, S.3-9, dort S.7f; U. Luz, Geschichtsverständnis, S.152 Anm.66.

Paulus die Deutung des Todes Jesu als Stellvertretung, als Loskauf und als Akt der Bundesstiftung. In Gal 3,13f verbindet er diese drei Deutungen und prägt sie eigenartig um. Im Zusammenhang mit der Gegenüberstellung von Abraham- und Mosebund interpretiert er die Stellvertretung Christi als das Tragen des Fluches des Mosebundes, den Loskauf als Loskauf vom Fluch des Gesetzes und die Bundesstiftung als Inkraftsetzung des Abrahambundes.

Die beiden ἵνα-Sätze stammen in dieser Form zweifellos von Paulus selber. Den durch Christi Tod rechtskräftig gewordenen Segen interpretiert Paulus inhaltlich als Geistesgabe. Paulus erläutert hier den in V.2-5 ausgesprochenen Gedanken, daß die Gabe des Geistes nur die Gerechtigkeit aus Glauben dokumentieren kann. Der Gedankengang ist folgender: Die Tatsache, daß die ehemaligen Heiden in Galatien den Geist empfangen haben, beweist, daß sie teilhaben am Abrahambund, denn nur von diesem Bund geht überhaupt Segen aus und nur dieser Bund hat solche universale Bedeutung. Wer aber teilhat am Abrahambund, kann nur mit Abraham aus Glauben gerechtfertigt sein.

Wie aber in V.2ff erschöpft sich auch in V.6-14 das Verhältnis zwischen der Gabe des Geistes und der Rechtfertigung aus Glauben nicht in diesem logischen Kausalzusammenhang. Bezieht sich in V.8 die Verheißung des Segens auf die zukünftige Gabe der Glaubensgerechtigkeit, so ist nach V.14 die Gabe des Geistes das verheißene Gut und der Inhalt des Segens. Die Glaubensgerechtigkeit ist hier nicht als Vorbedingung für den Empfang des Segens gedacht, sondern als das Heilsgut selbst. Auch hier gilt also, daß die Gabe des Geistes mit der Gabe der Glaubensgerechtigkeit identisch ist[15].

Demnach wird sichtbar, wie Paulus im Zuge seines Kampfes gegen den Nomismus Christologie und Pneumatologie enger als die Tradition vor ihm aneinanderbindet. Der kritischen Schärfe in der paulinischen Interpretation des Todes Jesu als Befreiung vom Fluch des Mosegesetzes entspricht die kritische Schärfe in der Interpretation der Geistesgabe als Segen der Rechtfertigung aus dem Glauben allein. Dominierend ist auch hier die Christologie, was schon darin zum Ausruck kommt, daß in 3,13f die Pneumatologie förmlich in das christologische Kerygma hineingenommen ist.

[15] Mit Schlier, Gal, S.131; W. Schenk, Der Segen im Neuen Testament, ThA 25, 1967, S.45; anders: L. Brun, Segen und Fluch im Urchristentum, SNVAO 1932, hist. fil. Klasse I, 1, S.23f.

Die Gabe des Geistes ist inhaltlich ganz davon bestimmt, daß sie nur ἐν Ἰησοῦ Χριστῷ und διὰ τῆς πίστεως empfangen wird. Die Präposition ἐν in der Verbindung „in Christus Jesus" kann man sowohl instrumental als auch lokal auffassen. Die Gabe des Geistes wird vermittelt „durch" Christus bzw. durch seinen Heilstod. In seiner Heilsbedeutung wird Christus (wie Abraham in V.8) als Gesamtperson betrachtet, die die Gläubigen „in" sich beschließt. Auch als Gesamtperson kommt Christus nur in seiner Funktion als Erniedrigter in den Blick. Eine traditionsgeschichtliche Betrachtung darf hier nicht ausgehen von der Anschauung vom Geist als Geist Christi im Sinne der Dynamis des Auferstandenen. Die Bindung des Geistes an Christus ist hier wie in 2,19ff nicht der Tradition, sondern Paulus zuzuschreiben.

Diese Überlegungen sollen aber nicht den Blick dafür verstellen, daß man, wenn es um das typisch paulinische Geistverständnis geht, nicht zu streng unterscheiden darf zwischen dem Geist als Dynamis des Auferstandenen und dem Geist als Frucht des Todes Jesu. Das läßt sich zeigen, wenn man das Verhältnis zwischen ἐπαγγελία und πνεῦμα bei Paulus näher betrachtet.

Mit dem Begriff ἐπαγγελία bezeichnet Paulus allgemein wie das Spätjudentum die im Rahmen des Bundesverhältnisses den Vätern gegebenen Heilszusagen Gottes (vgl. Röm 9,4)[16]. Innerhalb der paulinischen Interpretation der Abrahamsgeschichte (Röm 4; 9,6-13; Gal 3-4) bekommt der Begriff aber eine theologische Prägnanz, die man vor oder nach Paulus nicht wiederfindet. Ἐπαγγελία erscheint hier nämlich in radikaler Antithese zu νόμος und bezeichnet das alles menschliche Tun ausschließende, in freier Gnadenwahl ergehende schöpferische Wort Gottes. Ἐπαγγελία ist nach Röm 4,17 das Wort des Gottes, der die Toten lebendig macht und aus dem Nichts Sein hervorruft. Nur dieses Wort hat nach Paulus lebendigmachende Kraft und somit kann nur in ihm die Rechtfertigung begründet sein (vgl. Gal 3,21f).

Die ἐπαγγελία ist nach Gal 3,8 eine Vorform des εὐαγγέλιον. Die Verheißung „ist das Evangelium in heilsgeschichtlicher Vorgegebenheit und historischer Verborgenheit, während das Evangelium die in eschatologischer Öffentlichkeit zutagetretende Ver-

---

[16] Zum Begriff ἐπαγγελία s. C. Dietzfelbinger, Paulus und das Alte Testament, ThEx 95, 1961, passim; U. Luz, a.a.O. S.66-69; E. Käsemann, Der Glaube Abrahams in Röm 4, Paul. Persp. S.140-177, dort S.158f.

heißung ist"[17]. Zielte die dem Abraham gegebene Verheißung auf die Glaubensgerechtigkeit, so ist das Evangelium die in Christi Tod begründete eschatologische Offenbarung dieser Gerechtigkeit (vgl. Röm 1,16f). In einem selben Verhältnis wie εὐαγγέλιον steht für Paulus auch πνεῦμα zu ἐπαγγελία. Die in der ἐπαγγελία enthaltene, aber für die Öffentlichkeit noch verborgene Schöpfermacht Gottes ist eschatologisch im Geiste offenbar geworden. Evangelium und Geist gehören für Paulus untrennbar zusammen. Ebenso wie die seine Verkündigung begleitenden pneumatischen Wirkungen für ihn das Wirksam- und Sichtbarwerden der Schöpfermacht Gottes bedeuten, so dokumentieren die in der Gemeinde auf die Annahme des Evangeliums folgenden Wunderwirkungen die Realität der Neuschöpfung.

Sowohl in dem „Wort vom Kreuz" wie auch in dem „Beweis des Geistes" geht es bei Paulus um den Gott, der die Toten lebendig macht[18].

Wenn man schließlich nach den genaueren alttestamentlich-jüdischen Voraussetzungen für das Geistverständnis von Gal 3,6-14 fragt, dann ist auf Deuterojesaja hinzuweisen. Auch für

[17] So Käsemann, a.a.O. S.158.
[18] Die Verbindung von πνεῦμα und ἐπαγγελία begegnet mehrfach im lukanischen Schrifttum (Lk 24,48; Apg 1,4; 2,33.38f). Bei Lukas steht dahinter aber eine andere heilsgeschichtliche Konzeption als bei Paulus. Lukas führt für die Verheißung des Geistes ausdrücklich Belege an: Die Joelverheißung (Jo 3,1ff; vgl. Apg 2,17ff), das Wort des Täufers (Lk 3,16; vgl. Apg. 1,5), und ein Wort Jesu vor seiner Himmelfahrt (Lk 24,48; vgl. Apg 1,4). Die Verheißung des Geistes steht bei Lukas im Zeichen des Schemas: Weissagung-Erfüllung. In der Verheißung des Geistes ist für Lukas die sichtbare Kontinuität der Heilsgeschichte gegeben. Auch bei Paulus steht hinter dem Ausdruck ἐπαγγελία τοῦ πνεύματος eine heilsgeschichtliche Konzeption. Doch bezeugt für ihn die Gabe des Geistes nicht den sichtbar kontinuierlichen Ablauf der verschiedenen Perioden der Heilsgeschichte. Bei dem Verhältnis des neuen Gottesvolkes zu dem von Mose bestimmten Israel kann man höchstens von einer äußerst paradoxen Kontinuität reden. Die heilsgeschichtliche Kontinuität zwischen Abraham und Christus besteht ausschließlich in der göttlichen Verheißung. Sichtbar wird für Paulus im Geist gerade das Unsichtbare. In der reformierten Exegese von Gal 3-4 ist die Eigenart des paulinischen heilsgeschichtlichen Denkens oft verkannt. Beispielhaft dafür ist J. L. de Villiers, Die betekenis van υἱοθεσία in die briewe van Paulus, Diss. V.U. Amsterdam, 1950, dort S.156f.

Deuterojesaja galt, wie wir sahen[19], daß der Bundessegen, die den Vätern verheißene Fruchtbarkeit des Gottesvolkes, nur Wirklichkeit werden kann durch einen wunderbaren Schöpfungsakt Gottes, der in der Gabe des Geistes vollzogen wird. Auch für Deuterojesaja bedeutete dieser Schöpfungsakt Gottes die Durchbrechung der Grenzen des alten Bundesvolkes. Es ist denn auch kaum zufällig, daß Paulus sich etwas weiter, in 4,27, ausdrücklich auf diesen Propheten beruft.

3. Der Geist und die Sohnschaft (3,15-4,7)

In 3,15-29 und in dem verdeutlichenden Nachtrag zu diesem Abschnitt, 4,1-7, macht die Antithese Segen-Fluch der von Knechtschaft-Sohnschaft Platz. Paulus setzt in diesem Abschnitt noch einmal ein bei der Frage nach der wahren Abrahamkindschaft. Er nennt die Abrahamverheißung eine διαθήκη, zweifellos in Anlehnung an Gen 15,18 und 17,2ff LXX, wo das Wort als Übersetzung von ברית steht; Paulus verwendet den Begriff hier jedoch in seiner hellenistischen, dem Alten Testament fremden Bedeutung „Testament"[20]. Ebenso wie mit einem menschlichen Testament, das, einmal rechtsgültig gemacht, nicht mehr außer Kraft gesetzt oder durch Zusätze geändert werden kann, so verhält es sich nach Paulus auch mit Gottes dem Abraham gegebener διαθήκη. Wesentlich für dieses Testament war außer seinem Verheißungscharakter die Tatsache, daß es Abraham „und seinem Samen" galt. Die Singularform deutet nach Paulus daraufhin, daß Christus mit diesem Samen gemeint ist. Dieses Testament kann durch das erst 430 Jahre später gekommene Gesetz nicht außer Kraft gesetzt sein.

Wenn das aber so ist, dann taucht die Frage nach der Bedeutung des Gesetzes auf. Das Gesetz, so antwortet Paulus darauf, stammt nicht von Gott, sondern ist von Engeln angeordnet und von einem Menschen vermittelt. Als Konkurrenzweg zur Verheißung kommt es gar nicht in Frage. Aufgabe des Gesetzes war es, die eschatologische Verwirklichung der Verheißung in Christus in negativer

[19] oben S. 43ff.
[20] Vgl. J. Behm, Der Begriff διαθήκη im Neuen Testament, 1912, S.38ff; ders., Art. διατίθημι κτλ., ThW II, dort S.132; E. Lohmeyer, Diatheke, UNT 2, 1913, S.134ff; vgl. auch E. Bammel, Gottes διαθήκη (Gal 3,15-17) und das jüdische Rechtsdenken, NTS 6, 1959/60, S.313-319.

Weise vorzubereiten. Es sollte die Menschen bis zur von Gott bestimmten Zeit der Befreiung unter der Sünde versklaven und gefangen halten. Oder, durch ein anderes Bild gesagt, es sollte wie ein sklavischer Erzieher die Unmündigen bis zur Zeit der vollmündigen Sohnschaft im Zaume halten. Der Wirkungsbereich des Gesetzes erstreckte sich nicht nur auf die Juden, sondern auch auf die Heiden, denn die Versklavung der Heiden unter den dämonischen Weltelementen war nichts anderes als die Versklavung unter dem Gesetz[21].

Für die Glaubenden, so argumentiert Paulus, ist die Zeit der Knechtschaft zu Ende. Durch den ihnen in der Taufe geschenkten Anteil an Christus, am Samen Abrahams, und durch die Gabe des Geistes sind sie Söhne Gottes geworden und somit die legitimen Erben.

Auch diesen Ausführungen legt Paulus die den Galatern bekannte Tauftradition zugrunde. Abgesehen davon, daß er in 3,27 die Taufe ausdrücklich erwähnt, finden wir sowohl in 3,15-29 als auch in 4,1-7 dieselben traditionellen Elemente wie in 1 Kor 6,9-11par: a. Das Schema Einst-Jetzt bzw. die Gegenüberstellung von gegenwärtiger Heilszeit und vergangener Zeit des Unheils (3,23ff; 4,3f). b. Das Nebeneinander von Christus und dem Geist als Heilsfaktoren (3,26ff Christus; 4,4ff Christus und der Geist). c. Die Anschauung, daß die Anteilhabe an Christus und dem Geist das Anrecht auf eine κληρονομία begründet (3,29; 4,7).

Wenn auch der Begriff υἱοθεσία in der Septuaginta fehlt, so steht Paulus doch mit seiner Vorstellung von der Gottessohnschaft auf alttestamentlich-jüdischem Boden[22]. Die Vorstellung der Gottessohnschaft ist im orientalischen Denken eng mit der der Gottebenbildlichkeit verwandt[23]. Nur ist im AT und im Judentum von der Gottessohnschaft weniger im Rahmen der Schöpfungs- als vielmehr

---

[21] Zu 4,3 vgl. jetzt E. Schweizer, Die „Elemente der Welt" Gal 4,3.9; Kol 2,8.20, (Festschrift G. Stählin) in: Beiträge S.147-163.

[22] Dazu außer der von O. Bauernfeind im Art. „Gotteskindschaft I", RGG³ II, dort Sp.1800 genannten Lit.: J. L. de Villiers, a.a.O. passim; H. Ridderbos, Paulus, S.214ff; C. M. Munting, Aanneming tot Kinders in die Teologie van Paulus, Ned. Geref. Teol. Tijdskrif 8, 1967, S.1-7; J. Blank, Paulus und Jesus, S.258ff.

[23] Vgl. Th. C. Vriezen, Theologie des Alten Testaments in Grundzügen, 1957, S.118-122. H. Wildberger, Das Abbild Gottes: Gen 1,26-30, ThZ 21, 1965, S.245-59.481-501, dort S.493ff.

im Rahmen der Erwählungstheologie die Rede. Wenn hier Gott als Vater des Volkes und Israel als Sohn Gottes bzw. die Israeliten als Gottessöhne bezeichnet werden, dann wird damit das besondere Verhältnis zwischen Jahwe und Israel umschrieben, für das anderwärts die Bundesformel verwendet wird[24]. Wenn Israel Jahwes Sohn genannt wird, so ist damit gesagt, daß es seine ganze Existenz von Jahwe her hat und unter seinem besonderen Schutz und seinem besonderen Herrschaftsanspruch steht. Lebt Israel in gehorsamer Anerkennung dieses Verhältnisses, so bedeutet der Sohnesstand einen Stand in Frieden und Freiheit (vgl. Jer 2,14ff; 3,19; Sib 3,702ff; 3 Makk 6,28). Wo die Anklage des Abfalls von Jahwe erhoben wird, erscheint das Sohnesverhältnis als das ideale Verhältnis der Urzeit (Hos 11,1ff; Dtn 8,1ff)[25], oder es wird die Erneuerung dieses Verhältnisses aufgrund eines wunderbaren Aktes Jahwes angekündigt (Hos 2,1; Jub 1,25).

Verstand sich die frühe christliche Gemeinde als das eschatologische Volk Gottes, so ist es selbstverständlich, daß sie sich die Gottessohnschaft zuschrieb. Insbesondere an die Anschauung der hellenistischen Gemeinde anknüpfend, entfaltet Paulus im Galaterbrief den Gedanken von der Gottessohnschaft der Gläubigen nach zwei Seiten hin. Zum einen versteht er die in der Taufe vollzogene Adoption ähnlich wie die Wiederherstellung der Gottebenbildlichkeit als einen alle menschlichen Unterschiede aufhebenden Akt der eschatologischen Neuschöpfung. Im Zusammenhang mit der Gottessohnschaft zitiert er das in der missionierenden hellenistischen Gemeinde entstandene Wort „Weder Jude noch Grieche, weder Knecht noch Freier, weder Mann noch Weib"[26]. Zum anderen

---

[24] Vgl. F. Horst, Recht und Religion im Bereich des Alten Testaments, (EvTh 17, 1957) in: ders., Gottes Recht, ThB 12, 1961, S.260-291, dort S.283; H. W. Wolff, Dodekapropheton I, BK, 1961, S.255; D. J. McCarthy, Notes on the love of God in Deuteronomy and the father-son relationship between Yahwe and Israel, CBQ 27, 1965, S.144-147.

[25] Dazu H. Gese, Bemerkungen zur Sinaitradition, ZAW 79, 1967, S.137-154, dort S.146ff.

[26] Zum Ursprung und Eigenart dieses Satzes vgl. E. Käsemann, Ex. Vers. u. Bes. II, S.124f; N. A. Dahl, Christ, Creation and the Church, in: The Background of the New Testament and its Eschatology, Studies in Honour of C. H. Dodd, ed. W. D. Davies and D. Daube, 1956, S.422-443, dort S.438f; J. Jervell, Imago Dei, S.294f.298; P. Stuhlmacher, EvTh 27, S.3f.

Die Anhaltspunkte für die These Käsemanns und Stuhlmachers, der

interpretiert er den in der alttestamentlich-jüdischen Vorstellung der Gottessohnschaft enthaltenen Aspekt der Freiheit als Freiheit von der Macht des Gesetzes.

Dieses neue Verständnis ist für Paulus mit der neuen Begründung der Gottessohnschaft gegeben. Söhne Gottes sind die Galater nach 3,26ff, weil sie auf Christus getauft sind. Wer auf Christus getauft ist, so sagt Paulus, hat „Christus angezogen" und ist „in Christus Jesus". Die Gewandvorstellung gebraucht Paulus hier, um die Teilhabe am Wesen und am Geschick der Person Christi

Satz sei Ausdruck eines enthusiastischen Heilsverständnisses und die Aufhebung der Unterschiede zwischen Mann und Frau meine den engelgleichen, asexuellen Zustand, sind relativ gering. Dasselbe gilt für die Meinung von D. Daube, The New Testament and Rabbinic Judaism, 1956, S.442 und H. Thyen, Studien, S.202 Anm.2, es liege hier die Vorstellung von Christus als androgynem Anthropos zugrunde.

Wichtig für das Verständnis des Satzes ist der alttestamentlich-jüdische Hintergrund. Im AT, wo einerseits die soziale Unterordnung von Frauen und Sklaven bekannt ist, findet man andererseits mehrfach Tendenzen, die gegen eine religiöse Diskrimination sprechen. Dabei spielt sowohl der Bundes- als auch der Schöpfungsgedanke eine Rolle. Der Tendenz zur Vereinheitlichung von Ständen und Klassen im Dtn liegt der Gedanke zugrunde, daß wie die Segensverheißung an das gesamte Volk ergangen ist, so auch jedes Glied im gleichen Maße daran Anteil erhalten soll. Vgl. G. von Rad, Das Gottesvolk im Deuteronomium, BWANT III, 11, 1929, S.37-58. Nach Auffassung der Priesterschrift sind nicht nur Mann und Frau in gleicher Weise nach Gottes Bild geschaffen, sondern vor Gott als Schöpfer stehen auch die Völker auf einer Linie mit Israel. Vgl. W. Eichrodt, Das Menschenverständnis des Alten Testaments, AThANT 4, 1944, S.34-38. Ebenso begegnet die Erwartung, daß die eschatologische Offenbarung von Gottes Bundes- und Schöpfertreue die Aufhebung aller Unterschiede zur Folge hat (z.B. Jes 56,1-8; Jo 3,1-5).

Für das Judentum gilt im allgemeinen, daß den Heiden kein, den Frauen und Sklaven nur beschränkt Anteil am Bundessegen bzw. am Bilde Gottes gewährt wird. Vgl. Bill. III, S.435. 558-63; IV, S.722-28; G. Beer, Die soziale und religiöse Stellung der Frau im israelitischen Altertum, SgV 88, 1919, S.34-45; G. Delling, Paulus' Stellung zu Frau und Ehe, BWANT 56, 1931, S.49-56; Joach. Jeremias, Jerusalem zur Zeit Jesu II B, 1958², S. 191-210.217-24.232-250. Unter den Ausnahmen ist vor allem die oben S. 69 erwähnte Anschauung von „Joseph und Aseneth" zu nennen, nach der Aseneths Bekehrung den Empfang der Gottebenbildlichkeit und damit die völlige Gleichberechtigung mit dem Manne zur Folge hat. Die Gottebenbildlichkeit – das geht aus der breit erzählten Geschichte von Aseneths Ehe hervor – bedeutet hier keineswegs die Aufhebung der Geschlechtlichkeit.

zu beschreiben, wofür er an anderer Stelle die Komposita mit συν- oder die εἰκών-Begrifflichkeit verwendet. Inhaltlich bedeutet „Christus angezogen haben" dasselbe wie „die Eikon des himmlischen Anthropos tragen" (1 Kor 15,49) oder „der Eikon des Gottessohnes gleichgestaltet sein" (Röm 8,29)[27]. Es steht außer Frage, daß Paulus in Gal 3,27 nicht an Christus als den Gekreuzigten, sondern an ihn als den erhöhten himmlischen Gottessohn und das Ebenbild Gottes denkt. Wenn im Corpus Paulinum die Teilhabe an der Kreuzigung Christi mittels der Gewandvorstellung umschrieben wird, so ist nicht vom Anlegen, sondern vom Ablegen des Gewandes die Rede (vgl. Kol 2,11; 3,9). Während Paulus von der Teilhabe am Auferstehungsleben Christi im allgemeinen nur futurisch redet, beschreibt er diese Teilhabe in Gal 3,27, wie in Röm 8,29f, als eine schon gegenwärtige Wirklichkeit. Es mag sein, daß Paulus hier der Taufanschauung der hellenistischen Gemeinde folgt. Es ist aber auch nicht auszuschließen, daß das enthusiastische Element von Paulus selber stammt. Auf jeden Fall verwendet er die enthusiastische Anschauung nicht unreflektiert: Dadurch, daß er die Christen schon jetzt ganz an der eschatologischen Sohnschaft teilhaben läßt, will Paulus den Gegensatz zwischen Knechtschaft und Freiheit, zwischen Gesetz und Evangelium radikalisieren[28].

Von anderer Art ist die christologische Begründung der Gottessohnschaft in 4,4f. Hier redet Paulus von dem erniedrigten Gottessohn: „Als das (von Gott gesetzte) Zeitmaß voll war, sandte Gott

---

[27] Zur neueren Diskussion über die religionsgeschichtliche Einordnung der paulinischen Gewandvorstellung: S. Hanson, The Unity of the Church in the New Testament, ASNU 14, 1946, S.79f; R. Schnackenburg, Heilsgeschehen, S.20f; R. P. A. Grail, Le baptême dans l'épitre aux Galates (3,26-4,7), RB 58, 1951, S.503-20, dort S.507f; G. Delling, Zueignung, S.75ff; ders., Die Taufe im Neuen Testament, o. J., S.119ff; F. Neugebauer, In Christus, 1961, S.103f; G. Wagner, Das religionsgeschichtliche Problem von Röm 6,1-11, AThANT 39, 1962, S.286; E. Lohse, KuD 11, S.316; E. Brandenburger, Adam und Christus, S.139f.143ff; ders., Fleisch und Geist, S.27.197-216. Wichtiges religionsgeschichtliches Material findet sich bei R. Eisler, Weltenmantel und Himmelszelt I, 1910; H. Riesenfeld, Jésus transfiguré, ASNU 16, 1947, S.115-129; G. Widengren, The great Vohu Manah and the Apostle of God, UUÅ 1945, 5, S.17f.34ff.49ff.71f.76ff; vgl. auch Ph. Vielhauer, Oikodome, Diss. Heidelberg, 1939, S.38f.47ff.
[28] An dieser Stelle nennt Paulus den Geist nicht als Heilsfaktor. Vgl. aber die verwandte Tauftradition 1 Kor 12,12f.

seinen Sohn, als vom Weibe Geborenen, als dem Gesetz Unterworfenen, damit er die dem Gesetz Unterworfenen loskaufe, damit wir die Sohnschaft empfingen". Paulus verwendet hier dasselbe Schema der christologischen Verkündigung wie in Gal 3,13f. Der Satz von der Sendung des Gottessohnes war schon vor Paulus formelhaft geprägt[29]. Hier wie in Röm 8,3 wird die Gottessohnschaft auf Jesu präexistente himmlische Existenz bezogen. Eine ähnliche Vorstellung vom Heilswerk Christi liegt in Phil 2,6ff vor, ohne daß dort jedoch der Gottessohntitel genannt ist. Auch dort ist Christus vorgestellt als ein präexistentes himmlisches Wesen, das seine göttliche Existenz eintauscht gegen die menschliche, die mit dem Sklavendasein identisch ist. Hinter der Vorstellung von der Sendung des Gottessohnes steht die jüdische Verbindung des Messianismus mit der Weisheitstheologie[30]. Anders aber als von diesem Hintergrund her zu erwarten wäre, ist an den Stellen, an denen Paulus vom präexistenten Gottessohn redet, nicht die Vorstellung einer Offenbarung, sondern der Gedanke der Stellvertretung maßgebend. Mit dem Motiv der Stellvertretung ist in Gal 4,4f das des Freikaufs verbunden. Die Ausrichtung der Sendung des Gottessohnes auf den Heilstod, die Verbindung von Inkarnations- und Todessoteriologie dürfte Paulus schon von seiner

---

[29] Dazu A. Seeberg, Katechismus, S.59ff; Ferd. Hahn, Hoheitstitel, S.315; W. Kramer, Christos, § 25b; G. Schille, Hymnen, S.132f; E. Schweizer, Art. υἱός κτλ. D, ThW VIII, dort S.376 und 385; J. Blank, Paulus und Jesus, S.260ff; U. Luz, Geschichtsverständnis, S.282f.

[30] H. Gese, Natus ex Virgine, in: Festschrift G. v. Rad 1971, S.73-89, dort S.87f Anm.43, weist hin auf die palästinensisch-jüdische Entwicklung von Spr 8 zu Sir 24. E. Schweizer denkt dagegen vor allem an die hellenistisch-jüdische Weisheitsspekulation: Zum religionsgeschichtlichen Hintergrund der „Sendungsformel" Gal 4,4f; Röm 8,3f; Joh 3,16f; 1 Joh 4,9, (ZNW 57, 1966) in: Beiträge, S.83-95; ders., ThW VIII, S.376ff; vgl. auch ders., Ökumene im Neuen Testament: Der Glaube an den Sohn Gottes, (Biblische Studien 56, 1969) in: Beiträge, S.97-111, dort S.102f. W. G. Kümmel, Theologie des NT, S.106ff, sieht hier die Verbindung von hellenistisch-jüdischer Weisheitsspekulation und hellenistisch-gnostischer Anschauung vom himmlischen Gesandten; zur Kritik an Kümmel vgl. die Rezension von M. Hengel, Evangelische Kommentare 3, 1970, S.744-745. Unbegründet ist die These von H-J. Schoeps, Paulus, S.152-165, die Anschauung von Jesus als dem Gottessohn sei die einzige heidnische Prämisse des paulinischen Denkens.

Tradition her vorgegeben gewesen sein [31]. Dagegen ist das Verständnis der stellvertretenden Existenz Christi als eines Daseins unter dem Joch des Gesetzes und das des Freikaufes als eines Freikaufs vom Gesetz als ein genuin paulinisches Element anzusehen.

In 4,6 folgt die pneumatologische Begründung der Gottessohnschaft: „Weil ihr aber Söhne seid, sandte Gott den Geist seines Sohnes in unsere Herzen, der da ruft: Abba, Vater"[32]. Ein Vergleich mit Röm 8,15f macht es wahrscheinlich, daß Paulus auch hier, wenn auch nicht im Wortlaut genau, eine traditionelle Anschauung aufnimmt[33]. Wie aus dem Aorist ἐξαπέστειλεν hervorgeht, denkt Paulus an den einmaligen Akt der Geistverleihung bei der Taufe[34].

Die Vorstellung, daß die Gabe des Geistes die Sohnschaft begründet, findet sich nicht in dieser Form im AT und im Judentum. Der Gedanke ist wahrscheinlich entstanden aus der Anschauung vom geistgewirkten Gebet. Die Funktion des Geistes ist nach Gal 4,6 das Gebet. Als „rufen" oder „schreien" kann im jüdischen Sprachgebrauch nicht nur allgemein der Akt des Betens, sei es als Bittgebet, sei es als Lobpreis, sondern auch jegliches inspiriertes Reden bezeichnet werden[35]. Der aus der Urgemeinde stammende, in der griechisch sprechenden Gemeinde mit der Übersetzung ὁ πατήρ versehene Ruf ἀββᾶ ist weder als glossolalische

[31] Anders E. Schweizer, Beiträge, S.93ff.105f; ThW VIII, S.385f; nach Schweizer hat erst Paulus diese Tradition, die ursprünglich nur von der Inkarnation sprach, auf den Tod Christi bezogen.
[32] ὅτι bedeutet hier „weil"; dazu Schlier, Gal, z.St. und Oepke, Gal, z.St.; zur Auslegungsgeschichte: S. Zedda, L'adozione a figli di Dio e lo Spirito Santo, AnBibl 1, 1952. Diese Übersetzung – das hoffen wir im folgenden zu zeigen – schließt keineswegs den Gedanken aus, daß der Geist die Sohnschaft begründet.
[33] An eine frühe Tauftradition denken: A. Seeberg, Katechismus, S.240ff; Ph. Carrington, Catechism, S.84f; T. M. Taylor, „Abba, Father" and Baptism, SJTh 11, 1958, S.62-71; W. Nauck, Tradition, S.180ff; W. Grundmann, Der Geist der Sohnschaft, in: In Disciplina Domini, Thüringer kirchliche Studien I, 1963, S.171-192, dort S.188; U. Luz, Geschichtsverständnis, S.282; O. Michel, Der Brief an die Römer, MeyerK, 1966⁴, S.197, spricht von einem festen Predigtstoff.
[34] Vgl. Oepke, Gal, z.St.
[35] Vgl. die Belege bei W. Grundmann, Art. κράζω κτλ., ThW III, S.898ff; J. Herrmann, Art. εὔχομαι κτλ. C, ThW II, dort S.783f; Schlier, Gal, S.198 Anm.2.

Äußerung, noch als Anfang des Vaterunsers zu verstehen, sondern als die allgemein übliche Gebetsanrede[36]. Die Abba-Anrede steht hier pars pro toto für das Beten überhaupt.

Für Paulus – und darin unterscheidet er sich nicht von seiner Tradition – gilt das Gemeindegebet als inspiriert. Das Gebet gehört für ihn auf eine Linie mit der Prophetie (1 Thess 5,18ff; 1 Kor 11,4f; 14,13ff; vgl. Eph 6,18). Zum Verständnis dieser Anschauung ist zu bedenken, daß nach alttestamentlich-jüdischer Tradition Gerechtigkeit die Voraussetzung für das freie Gebet ist (Dtn 4,7f; Jes 58,2,8f; Hi 16,17). Das Recht der freien Bitte wird insbesondere mit dem Verhältnis der Gottessohnschaft verbunden (Ps 2,8; Jes 63,15ff; Taan 3,8). Wenn besonders betont wird, daß die menschliche Gerechtigkeit ausschließlich im Heilshandeln Gottes gründet, können der auf die Heilstat antwortende Lobpreis und die neue ermöglichte Bitte als inspiriert angesehen werden[37]. Die menschliche Antwort gehört nach dieser Anschauung in das Heilsgeschehen hinein. Wenn nach christlicher Anschauung das Gerechtigkeitsverhältnis durch Christus wiederhergestellt wird, so gilt auch das Gebet als „durch Christus" ermöglicht (Röm 1,8; 5,1f.11; Kol 3,17). Wenn hingegen die Gerechtigkeit auf den Geist zurückgeführt wird, gilt auch das Gebet als geistgewirkt. Beide Gedankenstränge finden sich vereinigt in Eph 2,18, wo gesagt wird, daß die Christen durch Christus und im Geiste den Zugang zum Vater haben.

Allgemein läßt sich die Anschauung vom πνεῦμα υἱοθεσίας auf die Vorstellung von der geistgewirkten Gerechtigkeit zurückführen. Ein konkreteres Bild von der Entstehung dieser Anschauung bekommt man aber, wenn man von dem Gedanken des inspirierten Abba-Rufes ausgeht[38].

[36] Mit G. Schrenk, Art. πατήρ κτλ. C-D, ThW V, dort S.1007; J. Schniewind, Das Seufzen des Geistes, in: ders., Nachgelassene Reden und Aufsätze, hg. v. E. Kähler, Theol. Bibl. Töpelmann 1, 1952, S.81-103, dort S.84. Zur Verbreitung und Bedeutung dieser Gottesanrede: Joach. Jeremias, Abba, in: ders., Abba, S.1-67; W. Marchal, Abba, Père!, AnBibl 19, 1963.

[37] Dazu oben S. 39 und 60; vgl. auch H-J. Kraus, Psalmen I, S.308; R. Schnackenburg, Die „Anbetung in Geist und Wahrheit" (Joh 4,23) im Lichte von Qumran-Texten, BZ, NF 3, 1959, S.88-94. Das Urteil von G. Harder, Paulus und das Gebet, Neutestamentliche Forschungen I, 10, 1936, S.144 Anm.1, über das inspirierte Gebet: „Davon ist nichts im AT zu lesen" ist nicht zutreffend.

[38] K. Berger, NTS 17, S.423, versteht dagegen den „Geist der Sohnschaft" vor allem als „Geist der Erkenntnis".

100

Schließlich müssen wir noch auf die Frage nach dem Verhältnis von Christologie und Pneumatologie zueinander eingehen. Wie in Gal 3,13f erscheint auch in 4,4ff die Gabe des Geistes als Folge der Erniedrigung und des Todes Jesu. Deutlicher als dort wird aber hier, wie die Tradition vom Geist als Frucht des Todes Jesu mit der anderen vom Geist als Dynamis des Auferstandenen bei Paulus zusammenfließt. Paulus redet in Gal 4,6 nicht wie in Röm 8,15 vom „Geist der Sohnschaft", sondern vom „Geist des Sohnes (Gottes)". Da die Sendung des präexistenten Gottessohnes nach paulinischer Anschauung die totale Entäußerung der himmlischen Existenz bedeutet, kann mit dem „Geist des Sohnes" nur der Geist des auferstandenen Christus gemeint sein. Paulus versteht hier also wie in 3,27 die Sohnschaft der Gläubigen als Anteil am himmlischen Leben Christi. „Den Geist des Gottessohnes haben" bedeutet hier dasselbe wie „das Gewand bzw. die Eikon des himmlischen Gottessohnes tragen". Das heißt: An dieser Stelle fällt die Funktion des Geistes nicht nur faktisch mit der Funktion Christi bei der Taufe zusammen, sondern die Funktion des Geistes ist als solche die Funktion Christi.

Von hier aus läßt sich verstehen, warum Paulus in 4,4ff zwei aufeinanderfolgende Stadien der Sohnschaft unterscheidet. Auch hier werden oft die Kategorien objektiv und subjektiv ins Spiel gebracht. Nach H. Schlier ist in V.4f vom objektiven Sohnsein, vom Sohn-sein als solchem, in V.6 dagegen von der subjektiven Erfahrung der Sohnschaft, vom sohnesgemäßen Wandel die Rede[39]. Nach I. Hermann gehört die Geistsendung als Folge der Sohnschaft der „dynamischen Ordnung einer Realisierung von objektiv Gegebenem" an. „Erst durch das Pneuma wird es möglich, das esse ins existere zu führen"[40]. In ähnlicher Weise unterscheidet J. Blank zwischen der in juristischer Terminologie beschriebenen objektiven Seite des Handelns Gottes, dem Zustandekommen der Sohnschaft von „außen", und der inneren Wirklichkeit, der pneumatischen Erfahrung der Sohnschaft[41]. Auch hier jedoch ist gegen eine solche Unterscheidung mehreres einzuwenden. Schon durch die parallele Formulierung „Gott sandte seinen Sohn...Gott sandte den Geist..." ist ausgedrückt, daß es sich bei der Gabe des Geistes genauso wie bei der Sendung des Sohnes um das von

---

[39] Gal, S.197-200.   [40] Kyrios und Pneuma, S.96.
[41] Paulus und Jesus, S.276ff.

„außen" kommende Heil, wenn man so will, um die objektive Seite des Handelns Gottes handelt. Weiter ist zu bedenken, daß nach urchristlicher Anschauung das geistgewirkte Abba-Rufen weniger ein inneres, als vielmehr ein öffentliches, rechtlich verpflichtendes Geschehen ist. Wie aus Röm 8,16 hervorgeht, ist das Zeugnis des Geistes ein von außen dem menschlichen Zeugnis gegenübertretendes[42].

Die Frage, warum Paulus hier zwei Stadien der Sohnschaft unterscheidet, läßt sich leicht lösen, wenn man sieht, daß hier die traditionelle Unterscheidung zwischen der Anteilhabe am Tode Jesu und der an seiner Auferstehung zugrundeliegt. Paulus kann, wie wir schon sahen, die beiden Stadien sowohl unterscheiden als auch zusammenfallen lassen (vgl. Röm 6,1-11 mit 8,29f). In V.4f und V.6 handelt es sich im wesentlichen um dasselbe Heil – beide Male geht es sowohl um das esse als auch um das existere –, jedoch einmal im Anfangsstadium und sodann im Stadium der Vollendung. Wie auch aus der Schlußfolgerung in V.7 hervorgeht, will Paulus betonen, daß die Galater durch die Gabe des Geistes schon im Vollsinn Söhne sind. Wie in 3,26ff läßt sich auch hier nicht sicher entscheiden, ob diese „enthusiastische" Anschauung mit der übernommenen Tauftradition verbunden war oder ob sie ein paulinisches Element ist. Deutlich ist aber auch hier, daß der Enthusiasmus im Zeichen des Kampfes gegen den Nomismus steht.

4. *Der Geist und die Freiheit (4,21-31)*

Nach einer Unterbrechung führt Paulus die Midraschimkette in 4,21-31 weiter. In diesem Abschnitt dominiert die Antithese Knechtschaft-Freiheit. Von Freiheit war sachlich auch schon in 3,15-4,7 die Rede, doch erst hier verwendet Paulus den Begriff ἐλευθερία. Paulus wird in diesem Abschnitt den Judaisten ein Judaist und behaftet die Galater beim Nomos. Nach Aussage des Nomos hatte Abraham zwei Söhne, einen von der Sklavin, κατὰ σάρκα geboren, und einen von der Freien, διὰ τῆς ἐπαγγελίας oder κατὰ πνεῦμα geboren. Nach Paulus ist das allegorisch zu verstehen: Die beiden Frauen sind zwei διαθῆκαι. Hagar ist die am Berg Sinai

[42] Dazu W. Bieder, Gebetswirklichkeit und Gebetsmöglichkeit bei Paulus, ThZ 4, 1948, S.22-40, dort S.25-29; E. Käsemann, Art. „Formeln II", RGG³, dort Sp.993f; ders., Paul. Persp., S.224.

gewährte διαθήκη, die ihre Gestalt hat im jetzigen, irdischen Jerusalem, das mit seinen Kindern in Sklaverei lebt. Sara dagegen ist das himmlische Jerusalem, die Mutter der Gläubigen, die nach Jes 54,1 ihre Kinder kraft eines göttlichen Wunders und in Freiheit gebiert. Wie in der alttestamentlichen Erzählung verfolgt auch jetzt der Sohn der Sklavin den der Freien. Nach Aussage der Schrift jedoch hat nur der letztere Anteil am Erbe.

In Kap.3 verwendete Paulus den Begriff διαθήκη ausschließlich für die Abrahamverheißung. Die Tatsache, daß er in 4,21-31 auch die Sinai-Gesetzgebung als διαθήκη bezeichnet, bedeutet keineswegs eine Aufwertung des Gesetzes. Διαθήκη hat hier die Bedeutung „Verfügung" bzw. „durch Verfügung herbeigeführte Ordnung der Dinge"[43]. Paulus redet hier nicht von zwei Heilsordnungen, sondern von zwei Verfügungen, einer göttlichen und einer menschlichen. Nur die göttliche Verfügung hat den Charakter einer Heilsordnung. Die Heilsgeschichte, das will Paulus durch die typologische Gegenüberstellung in 4,21-31 herausstellen, ist die Geschichte der einen διαθήκη, und zwar die Geschichte der ἐπαγγελία[44].

Als Heilsordnung ist diese διαθήκη der Bereich der Freiheit. Im griechischen AT spielt der Begriff ἐλευθερία zwar keine große Rolle, die Vorstellung aber, die Paulus in Gal 4,21ff mit diesem Begriff verbindet, ist ohne den alttestamentlich-jüdischen Hintergrund nicht verständlich[45]. Nach alttestamentlicher Vorstellung

[43] Vgl. Behm, Der Begriff διαθήκη, S.55ff; Lohmeyer, Diatheke, S.132ff.

[44] Zur Vorstellung von der Heilsgeschichte in Gal 4,21ff vgl. Ph. Vielhauer, Paulus und das Alte Testament, in: Studien zur Geschichte und Theologie der Reformation, Festschrift E. Bizer, 1969, S.33-62, dort S.45; U. Luz, Der alte und der neue Bund bei Paulus und im Hebräerbrief, EvTh 27, 1967, S.318-336, dort S.319-322; mit Recht schreibt Luz: „Die typologische Gegenüberstellung wird hier dazu verwendet, das völlig Neue, das totaliter Aliter, das in Wirklichkeit Analogielose der neutestamentlichen Heilssetzung zu erweisen. Vorwaltend in dieser Typologie ist die Antithese, nicht die weissagende Vorabbildung; die Typologie macht das Alte zur Folie, die durch das Neue völlig überholt oder sogar zu seinem negativen Hintergrund wird" (S.320f).

[45] Es ist u.E. dem Sachverhalt nicht angemessen, daß sowohl im ThW, s.v. ἐλεύθερος κτλ., als auch in RGG³, s.v. „Freiheit", ein Abschnitt über das alttestamentlich-jüdische Freiheitsverständnis fehlt. Vgl. zu diesem Thema K. Niederwimmer, Der Begriff der Freiheit im Neuen Testament, Theol. Bibl. Töpelmann 11, 1966, S.76-84; W. K. Grossouw, De vrijheid van de christen volgens Paulus, Tijdschrift voor Theologie 9, 1969, S.269-283, dort S.269f.

steht am Anfang des Bundes mit Jahwe eine Tat der Befreiung und dementsprechend ist das ganze Bundesverhältnis bis hin zu den sozialen Ordnungen geprägt von der von Jahwe geschenkten Freiheit (Lev 26,3-13; Dtn 15,12-18; Jer 31,10-14; Jes 42,5-9). Abfall von Jahwe bedeutet immer Rückkehr in die Sklaverei (Hos 9,1-6; Jer 2,14-19; Neh 9,16f.26f.36f). In Gal 4 knüpft Paulus insbesondere an die deutero- bzw. tritojesajanische Vorstellung vom geknechteten und vom freien Jerusalem an (Jes 40,2; 52,2; 54,11-17; 60,10-14; 61,1ff)[46]. Inhaltlich bedeutet „Freiheit" im AT[47]: Anteilhabe an Jahwes Erbbesitz und dem damit verbundenen Segen; ein Leben in Jahwes Land und Stadt, wo ein ungetrübtes Verhältnis mit Jahwe, Frieden mit den irdischen Bewohnern und materielle Wohlfahrt herrschen.

Ähnlich verhält es sich in der jüdischen nachbiblischen Literatur. Freiheit ist hier gebunden an die Abrahamkindschaft und das Halten der Tora (Aboth 6,2; BQ 8,6; vgl. Joh 8,33). Auch hier findet man den Zusammenhang von Freiheit und Erbbesitz. In Aboth 6,2 ist mit der Interpretation von Ex 32,16, nach welcher חָרוּת als חֵרוּת zu lesen ist, eine homiletische Deutung von Num 21,19 verbunden, nach der die Gabe der Tora Teilhabe am Erbbesitz Gottes und Erhöhung bedeutet. In der späteren rabbinischen Deutung dieser Stelle wird die Freiheit als Freiheit von der Fremdherrschaft, vom Leiden und vom Todesengel verstanden (z.B. Ex r 32 zu 23,20)[48].

Von diesem Hintergrund her ist es verständlich, daß Paulus die Freiheit mit Gottes διαθήκη verbindet, und daß für ihn Freiheit

---

[46] Zur Entwicklung dieser Vorstellung im Judentum: A. Causse, Le mythe de la nouvelle Jérusalem du Deutéro-Esaie à la IIIe Sibylle, RHPhR 18, 1938, 377-414; K. L. Schmidt, Jerusalem als Urbild und Abbild, Eranos-Jahrbuch XVIII, 1950, S.207-258; H. Schlier, Gal, S.221-226; E. Brandenburger, Fleisch und Geist, S.200ff.

[47] Eine Begriffsuntersuchung hat hier ein weites Wortfeld zu berücksichtigen. Außer den bei Niederwimmer, a.a.O. S.76 Anm.14 genannten Begriffen sind z.B. auch פדה und גאל einzubeziehen. Ebenso sind die Stellen zu nennen, wo das Freiheitsverständnis durch eine Negation zum Ausdruck gebracht wird, z.B. in der Form, daß Israel „nicht mehr Sklave" ist oder daß Jahwe Israels „Joch zerbrochen" hat.

[48] Weitere Stellen finden sich bei Bill. I, S.149.596; II, S.522f; III, S.508f. 232f.

mit Erbbesitz, Segen und freiem Zugang zu Gott zusammengehört.

Auch der Gedanke, daß die Existenz der Söhne des freien Jerusalems nicht im Fleisch, sondern im göttlichen Schöpferwort und im göttlichen Geist begründet ist, findet sich in der alttestamentlich-jüdischen Tradition. Wie bei Gal 3,6ff ist hier insbesondere auf Deuterojesaja hinzuweisen (vgl. Jes 40,6-8; 44,1-5). Darin aber weicht Paulus von sämtlichen jüdischen Traditionen ab, daß die Freiheit für ihn die Freiheit von der Macht des Gesetzes als dem Inbegriff des Irdisch-Menschlichen bedeutet.

5. Nochmals: Der Geist und die Glaubensgerechtigkeit (5,1-12)

In 5,1-12 rundet Paulus seine Argumentation ab, indem er die Galater noch einmal konkret auf die sie bedrohende Gefahr hin anspricht. Wer, so sagt er, den falschen Aposteln Gehör schenkt, sich beschneiden läßt und sich wieder dem Gesetz unterwirft, hat sich vom Heil losgesagt und ist „aus dem Stand der Gnade herausgefallen". Demgegenüber formuliert Paulus nochmals, seine bisherigen Darlegungen zusammenfassend und weiterführend, worin der Stand in der Gnade besteht: „Denn wir erwarten im Geist, aufgrund des Glaubens das Hoffnungsgut der Gerechtigkeit. Denn in Christus Jesus bedeutet weder Beschnittenheit noch Unbeschnittenheit etwas, sondern (nur) Glaube, der durch Liebe wirksam ist" (V.5f).

In zweierlei Hinsicht geht 5,5f über das in Kap.3-4 Gesagte hinaus. Zunächst ist auffällig, daß Paulus die Gerechtigkeit ganz als zukünftiges Heilsgut betrachtet. Die enthusiastische Anschauung von Kap.3-4 wird hier also korrigiert. Sodann wird mit der Einführung des Begriffes Agape gegenüber dem Vorhergehenden ein neuer Aspekt sichtbar. Durch diesen Begriff leitet Paulus zu dem in 5,13 beginnenden Teil des Briefes über.

Die Hoffnung auf die Gerechtigkeit gründet nach V.5 in der Gabe des Geistes und im Glauben, d.h. im Glauben an Jesus Christus. Wie Paulus das Verhältnis der beiden Heilsfaktoren zueinander an dieser Stelle sieht, läßt sich aus V.6 entnehmen. Paulus nimmt hier einen traditionellen Spruch auf, dessen ursprüngliche Form wahrscheinlich in 1 Kor 7,19 zu finden ist: „Die Beschnittenheit bedeutet nichts und die Unbeschnittenheit bedeutet nichts, sondern (nur) das Halten der Gebote Gottes" (vgl. Röm 2,25ff; Gal 6,15). Der Spruch stammt entweder aus dem frühen missionierenden Christentum oder gar aus dem Judentum[49]. In Gal 5,6 ist an die Stelle des Gesetzesgehorsams der durch die Liebe wirksame Glaube getreten. Paulus nimmt dabei Bezug auf die traditionelle Trias Glaube-Liebe-Hoffnung. Wo sonst im Corpus Paulinum eine Anspielung auf diese Trias vorliegt, ist vor allem der Begriff Agape mit Pneuma verbunden (vgl. Röm 5,1ff; Kol 1,3-8). Es ist wahrscheinlich zu machen, daß die Gemeinde vor Paulus mit den drei Begriffen Glaube-Liebe-Hoffnung drei verschiedene Zeitaspekte verband: Die gläubige Annahme der Christusbotschaft im Anfang, der geistgewirkte Gehorsam in der Gegenwart und die Vollendung in der Zukunft. Wenn man z.B. 1 Thess 1,3 mit 1,9f als vorpaulinische Anschauung zusammensehen darf, dann entspricht hier die πίστις dem Moment der Umkehr, die ἀγάπη dem Dienen des lebendigen und wahren Gottes, die ἐλπίς der Erwartung des eschatologischen Gottessohnes. In Gal 5,6 ist diese Anschauung dadurch abgewandelt, daß die Pistis ein auf das Leben in der Agape übergreifender Begriff ist. Dasselbe Anliegen wie in Gal 2,15ff kommt auch hier zum Vorschein: Ist das neue Leben nach der Taufe ganz vom Glauben an Jesus Christus bestimmt, so ist auch hier eine Rückkehr zum Gesetz ausgeschlossen.

Von hier aus ist das Nebeneinander von „im Geist" und „aus Glauben" in V.5 zu verstehen. Die im Geist begründete Gerechtigkeit kann für Paulus nur mit der in Christus geschenkten Glaubensgerechtigkeit identisch sein. Durch die Überordnung der Pistis über die Agape und damit der Christologie über die Pneumatologie will Paulus betonen, daß der neue geistgewirkte Gehorsam nicht bloß eine Umwandlung im anthropologischen Bereich darstellt, sondern im Rahmen einer total neuen Heilsordnung steht. Auch hier ist festzustellen: Typisch paulinisch ist nicht schon die Anschauung, daß der Geist die Gerechtigkeit wirkt, sondern erst der polemisch zugespitzte Gedanke, daß die Glaubensgerechtigkeit eine Gabe des Geistes ist.

---

[49] Allerdings ist die Notiz bei Euthalius, das Zitat in der Form von Gal 5,6 stamme aus einem Μωυσέως ἀπόκρυφον, unzuverlässig. Dazu J. Weiß, 1 Kor, S.186; H. Lietzmann, An die Galater, HNT, 1971⁴, S.45; A. Oepke, Art. κρύπτω κτλ. C II, ThW III, dort S.990.

6. KAPITEL.
DER GEIST UND DAS NEUE LEBEN
(*Röm. 1-8*)

Aufschlußreich sowohl für das allgemein urchristliche wie auch für das typisch paulinische Geistverständnis ist auch der Römerbrief. Wie im Galaterbrief entfaltet Paulus hier sein Evangelium. Das Evangelium, so sagt er in 1,3f in Anlehnung an traditionelle Formulierung, ist die Verkündigung von Jesus Christus, der dem Fleische nach Sohn Davids war und dem Geiste nach kraft seiner Auferstehung von den Toten machtvoll zum Sohn Gottes eingesetzt ist[1]. Dieses Evangelium, so präzisiert er in 1,16f sein eigenes Verständnis, hat als Heilsmacht Gottes einmal universale Bedeutung, sodann erweist es sich als Manifestation der Gerechtigkeit Gottes nur im Glauben wirksam[2].

Als das Gerüst des mit 1,18 einsetzenden Gedankenganges, der durch weitläufige Antithesen gekennzeichnet und durch Exkurse mehrfach unterbrochen wird, läßt sich wiederum das traditionelle Verkündigungsschema, wie wir es in 1 Kor 6,9-11 par antrafen, feststellen. Es finden sich die konstitutiven Elemente dieses Schemas: a. Die Zeit des Heils wird der des Unheils gegenübergestellt. b. Die Gegenwart des Heils wird sowohl unter einem christologischen als auch unter einem pneumatologischen Gesichtspunkt betrachtet. c. Der jetzige Heilsstand wird auf die künftige Vollendung bezogen.

1. *Der Geist und die Herzensbeschneidung (1,18-3,20)*

a. In 1,18-3,20 schildert Paulus zunächst die Zeit des Unheils. Das „Einst" der Christen beschreibt er hier als das „Jetzt" von

---

[1] Dazu oben S. 80.
[2] Zum Verhältnis von Röm 1,3f zu 1,16f vgl. G. Bornkamm, Art. „Paulus", RGG³V, dort Sp.177; ders., Paulus, Urban Bücher 119, 1969, S.128 und 249ff; P. Stuhlmacher, Theologische Probleme des Römerbriefpräskripts, EvTh 27, 1967, S.374-389, dort S.375.

Heiden und Juden[3]. Diese Zeit ist für ihn die Zeit der eschatologischen Offenbarung des Zornes Gottes über die menschliche Ungerechtigkeit.

In *1,18-32* handelt Paulus zunächst von den Heiden. Durch Gottes Offenbarung in der Schöpfung, so sagt er, ist ihnen der Hauptinhalt des mosaischen Gesetzes, der Rechtssatz, daß Ungerechte keinen Anteil am Leben erhalten, bekannt. Weil sie aber die Erkenntnis Gottes und damit den Anteil an seiner Herrlichkeit verachtet haben, hat Gott sie sich selbst überlassen; ihr Geist ist ἀδόκιμος geworden, ihr Herz ist verfinstert und ihr Leib ein Sklave der Begierden. Die Gerechtigkeit ist total zerstört, die gottebenbildliche Herrlichkeit und das Leben ist ihnen nicht zugänglich[4].

In *Kap.2* wendet sich Paulus gegen die Juden. Gott urteilt, so argumentiert er, Juden und Heiden nach demselben Gesetz, wiederum nach dem Kanon, daß Ungerechte keinen Anteil am ewigen Leben und den damit verbundenen Gütern erhalten werden. Zwar besitzt der Jude das Gesetz in seiner schriftlich fixierten Form und das Bundeszeichen der Beschneidung, beides kann er jedoch vor Gott nur als Heilsprivileg geltend machen, wenn er das Gesetz in der Tat erfüllt. Tatsächlich aber übertreten die Juden genauso wie die Heiden die Gebote Gottes, ihr Herz ist verhärtet und unbußfertig, den Gottesbund haben sie gebrochen[5].

In *3,1-8* geht Paulus exkursartig ein auf verschiedene Einwürfe, insbesondere auf die Frage, wie es sich angesichts der beschriebenen Lage mit Gottes Gerechtigkeit verhält. Darauf folgt in *3,9-20* der Schriftbeweis für das Faktum der universalen Ungerechtigkeit, der totalen Zerstörung des Schalomzustandes. Eindeutig geht jedoch aus der Schlußfolgerung in V.20 hervor, daß Paulus nicht die Ungerechtigkeit als solche, sondern den Zusammenhang von Gesetz und menschlicher Ungerechtigkeit in 1,18-3,20 herausstellen will. Für den, der ganz auf dem Boden des Gesetzes steht, der die

---

[3] Dazu U. Luz, Geschichtsverständnis, S.168ff; ders., Zum Aufbau von Röm 1-8, ThZ 25, 1969, S.161-181, dort S.171ff.

[4] Zum Zusammenhang von Gesetz, Erkenntnis und gottebenbildlicher Doxa in diesem Abschnitt vgl. Jervell, Imago Dei, S.325-31.

[5] Der Vorwurf der Hartherzigkeit ist in der alttestamentlich-jüdischen Literatur oft identisch mit dem des Bundesbruches; vgl. Dtn 29,18; Jer 11,8; 1QS 1,6; 1QH 4,15; dazu K. Berger, Hartherzigkeit und Gottes Gesetz, Die Vorgeschichte des antijüdischen Vorwurfs in Mc 10,5, ZNW 61, 1970, S.1-47.

göttliche Autorität des Gesetzes als Norm und als richtende Instanz uneingeschränkt anerkennt, soll klar sein, daß das Gesetz faktisch nie Gerechtigkeit bewirkt, sondern allenfalls die Erkenntnis der Sünde[6].

b. Paulus schildert jedoch in 1,18-3,20 nicht nur die Unheilsgeschichte. Schon in Kap.2 zeigt er in antithetischer Gegenüberstellung zu der faktischen Ungerechtigkeit der Juden – den Ausführungen in 3,21-8,39 vorgreifend – positiv die Möglichkeit des wahren Gehorsams auf.

Anschließend an die allgemeine Antithese von bösen und guten Werken in 2,6ff und der von Hörern und Tätern des Gesetzes in V.12f, spricht Paulus in V.14ff im Kontrast zu der Feststellung, daß die Juden das Gesetz haben, es aber übertreten, von der Möglichkeit, daß Heiden, ohne das Gesetz in seiner schriftlich fixierten Form zu besitzen, faktisch die Forderung des Gesetzes erfüllen[7]. Ebenso stellt er in V.25ff der Tatsache, daß die Beschneidung der Juden ohne Erfüllung des Gesetzes kraftlos ist, die Möglichkeit gegenüber, daß Gott physisch Unbeschnittene die faktische Erfüllung des Gesetzes als Beschneidung anrechnet. Zugespitzt sagt Paulus in V.28f: Kennzeichnend für den wahren Juden ist nicht das äußerlich Sichtbare, die fleischliche Beschneidung, sondern das Verborgene, die Herzensbeschneidung; diese wiederum erfolgt nicht im Bereich des Buchstabens, sondern in dem des Geistes[8].

Gegen die alte, in der Neuzeit vor allem unter dem Einfluss K. Barths wieder aufgelebte These, Paulus rede in V.14ff und 25ff von den Heidenchristen[9], hat G. Bornkamm geltend gemacht, Paulus habe hier überhaupt nicht die Rechtfertigung des Nicht-Juden im Blick, sondern ausschließlich die Tatsache, daß die Heiden

---

[6] Dazu U. Wilckens, EKK 1, S.53ff.

[7] Unhaltbar ist die These R. Walkers, Die Heiden und das Gericht, EvTh 20, 1960, S.302-314, dort S.305ff, für Paulus bedeute die Tatsache, daß die Heiden „das des Gesetzes" tun und „sich selber Gesetz sind" gerade ihre Sündhaftigkeit.

[8] Das ἐν in V.29b kann man sowohl lokal als auch instrumental fassen.

[9] K. Barth, Die Kirchliche Dogmatik I, 2, 1960⁵, S.332; F. Flückiger, Die Werke des Gesetzes bei den Heiden (nach Röm 2,14ff), ThZ 8, 1952, S.17-42; J. B. Souček, Zur Exegese von Röm 2,14ff, in: Antwort, Festschrift für K. Barth, 1956, S.99-113.

eine Kenntnis des Gottesgesetzes haben, derentwegen sie vor Gott verantwortlich sind[10]. Diese Exegese jedoch wird der Intention des Textes nicht gerecht[11]. Paulus stellt in Röm 2 den tatsächlichen wahren Gehorsam dem Ungehorsam der Juden gegenüber und fragt gleichzeitig nach dem Wie und Wo dieses Gehorsams, um so den Grund des Ungehorsams der Juden aufzudecken. Er geht dabei so vor, daß er von allgemeinen (V.6ff; 12f) über hypothetische (V.14ff; 25ff) zu konkreten Feststellungen gelangt (V.28f)[12]. Es ist keine Frage, daß Paulus die Möglichkeit der Herzensbeschneidung nur bei den Christen verwirklicht sieht. Daß er die Christen hier jedoch nicht nennt und statt dessen von der Möglichkeit des wahren Gehorsams bei den Heiden und von der Eigenart des wahren Juden redet, ist darin begründet, daß er von jüdischen Prämissen aus die Juden auf die grundsätzliche Möglichkeit einer Gerechtigkeit hinweisen will, die weder an der jüdischen Nationalität noch am Gesetz in seiner schriftlich fixierten Form noch an die Beschneidung gebunden ist.

Auf jüdischem Boden steht Paulus zunächst, insofern er mit dem Bild des wahren Juden, der durch den Geist am Herzen beschnitten ist, an die deuteronomistisch-jeremianische und ezechielische Tradition vom neuen Bund anknüpft[13]. Darin jedoch geht Paulus über die alttestamentliche Tradition hinaus, daß er den Gegensatz von „innen" und „außen" zu einem prinzipiellen macht. Für die

---

[10] Gesetz und Natur, insbesondere S.99ff.

[11] Im einzelnen ist gegen Bornkamms Argumente zu sagen: a. Die Behauptung, das γάρ von V.14 beziehe sich ausschließlich auf den Begründungszusammenhang V.11f und nicht auch speziell auf V.13, ist unbegründet; auch die drei mit γάρ eingeleiteten Sätze V.11-13 schließen jeweils an den direkt vorangehenden Satz an. b. Die Auffassung, der ganze Zusammenhang 1,18-3,20 rede nur von dem Gericht, und die Frage nach der Ermöglichung eines Verhaltens, dem Gott den rechtfertigenden Spruch zuerkennt, sei hier noch nicht gestellt, läßt sich in Hinblick auf 2,28f nicht halten; denn auch nach Bornkamms Meinung enthalten diese Verse einen Vorausklang der Heilsbotschaft (a.a.O. S.110). c. Die betreffenden Verse reden weniger von der Gesetzeserkenntnis und der daraus folgenden Verantwortlichkeit der Heiden vor Gott – darüber hatte Paulus schon in 1,18ff gehandelt –, als vielmehr von der Möglichkeit der tatsächlichen Erfüllung des Gesetzes.

[12] Zum hypothetischen Charakter der Aussagen in V.12ff und 25ff vgl. H. Lietzmann, An die Römer, HNT, 1971[5], z.St.; zum Gefälle des ganzen Kapitels, E. Käsemann, Paul. Persp., S.242f.

[13] Dazu oben S. 40ff.

alttestamentliche Prophetie bedeutete der neue Bund die Versöhnung der gegensätzlichen Bereiche. Wo aber, wie es bei Paulus der Fall ist, die Universalität des Heils zentral steht, muß der ganze Bereich des φανερόν, die jüdische Nationalität, die Beschneidung und das schriftlich fixierte Gesetz, grundsätzlich irrelevant werden.

Um den Juden die grundsätzliche Irrelevanz des φανερόν einsichtig zu machen, muß Paulus dann auch auf eine andere, im hellenistischen Judentum bekannte Tradition zurückgreifen. War eine derartige Unterscheidung von „innen" und „außen" für das Judentum rabbinischer Prägung völlig inakzeptabel, so gilt das doch nicht für das gesamte Judentum[14]. Hinsichtlich der Beschneidung sahen wir schon oben[15], daß der Satz, den Paulus in 1 Kor 7,19 zitiert, und der auch Röm 2,25f zugrunde liegt, „die Beschnittenheit bedeutet nichts und die Unbeschnittenheit bedeutet nichts, sondern (nur) das Halten der Gebote Gottes", möglicherweise ein jüdisches Zitat ist. Nach Philo, Migr Abr 89ff, gab es Juden, für die τὰ φανερά, unter ihnen der Ritus der Beschneidung, irrelevant waren gegenüber deren höherer Bedeutung.

Um den Juden einsichtig zu machen, daß auch das Gesetz zum Bereich des φανερόν gehören kann, verwendet Paulus die namentlich im hellenistischen Judentum bekannte griechische Unterscheidung von νόμος und φύσις bzw. von geschriebenem und ungeschriebenem Gesetz[16]. Daß diese Tradition in Röm 2,14f erscheint, steht außer Frage[17]. Inwieweit diese Tradition auch die Bildung der Pneuma-Gramma Antithese beeinflußt hat, läßt sich nicht mit Sicherheit sagen[18]. Auf jeden Fall aber darf man die Antithese in ihrer paulinischen Intention nicht mit E. Goodenough von der philonischen

---

[14] Mit H. J. Schoeps, Paulus, S.236.238; M. Hengel, Judentum und Hellenismus, S.315 Anm.427; vgl. auch I. Heinemann, HUCA 4, S.156f.

[15] S. 105f.

[16] Dazu oben S. 67f.

[17] Mit Hirzel, a.a.O. S.51 Anm.3; Bornkamm, a.a.O. S.101-111; Kranz, a.a.O. passim; vgl. auch M. Pohlenz, Paulus und die Stoa, ZNW 42, 1949, S.69-104, dort S.75ff.

[18] Vgl. zu dieser Frage H. Windisch, Der zweite Korintherbrief, MeyerK 1924 (Neudruck hg.v. G. Strecker, 1970), S.111f; G. Schrenk, Art. γράφω κτλ. ThW I, dort S.769; E. Käsemann, Paul. Persp., S.248f; J. P. Versteeg, Christus en de Geest, S.263ff.

111

Tradition her interpretieren[19]. Paulus intendiert in Röm 2 nicht, wie Goodenough will, eine höhere Ethik. Es geht ihm nicht um die Transzendierung vom Speziellen zum Generellen, vom Materiellen zum Ideellen. Verwerflich ist für Paulus das schriftlich fixierte Gesetz nicht, weil es zur materiellen Welt gehört, sondern nur insofern es von den Juden in formalisierender Weise für sich als Heilsprivileg in Anspruch genommen wird. Soweit Paulus in Röm 2 griechische bzw. hellenistisch-jüdische Tradition aufnimmt, tut er das, um, ohne explizit von der Offenbarung in Christus zu reden, seine zentrale These zu begründen, daß der wahre Bund der Bereich des universalen Heils ist, in dem die Erfüllung des Gesetzes χωρὶς νόμου geschieht.

Auf die Frage: Wer hat Zutritt zum ewigen Leben? antwortet Paulus in Röm 2: derjenige, ob Jude oder Heide, der das Gesetz in der Kraft des Geistes erfüllt. In dieser Antwort ist das ganze Evangelium des Paulus enthalten. Was es aber konkret bedeutet, bleibt zunächst noch offen.

2. Der Geist und die Rechtfertigung aus Glauben (3,21-5,11)

In 2,28f hatte Paulus das Heil nur proleptisch beschrieben, um die negative Seite seines Evangeliums zu verdeutlichen. Die eigentliche Explizierung des „Jetzt" beginnt erst mit 3,21. In der ersten Gedankenrunde, 3,21-5,11, handelt Paulus, der Tradition entsprechend, sowohl von Christus als auch vom Geist als den beiden Heilsfaktoren.

a. Die eschatologische Offenbarung von Gottes Gerechtigkeit, so fängt die Erörterung in *3,21-31* an, hat im Tode Jesu Christi stattgefunden; gerecht ist, wer an Jesus Christus glaubt.

Weitgehende Übereinstimmung unter den Exegeten besteht darin, daß Paulus in V.24f an eine geprägte Tradition anknüpft, in der

---

[19] Wörtlich sagt Goodenough in „Paul and the Hellenization of Christianity": „This understanding of the true law as a kind of platonic Real, a basic thesis of Philo's whole writing, is carried over directly in Paul's contrast between the law of the letter and the higher law of the spirit. It is this latter law which, in the sphere of ethics, issues in the higher principles of morality which Paul is everywhere and throughout his letters exhorting the Christians to follow" (S.42).

das Motiv der Bundeserneuerung vorherrscht[20]. Für die hier zu Wort kommende Gemeinde hat Gott seine Bundestreue darin erwiesen, daß er dem vom Bund abgefallenen Volk aufgrund des Sühnetodes Jesu Vergebung geschenkt hat. Wenn diese Gemeinde die Rechtfertigung als Vergebung der in der Zeit des Abfalls begangenen Sünden verstand, so war für sie das Heilswerk Christi ein erstes Stadium im Handeln Gottes, nur der Auftakt zum neu ermöglichten Gesetzesgehorsam.

Mit dieser Tradition stimmt Paulus darin überein, daß durch die Offenbarung der Gerechtigkeit Gottes in Jesus Christus das Gesetz nicht zunichte gemacht ist, sondern daß es gerade aufgerichtet wird (V.31). Der in 1,18-3,20 ausgesprochene Gedanke, daß die Erfüllung des mosaischen Gesetzes das Kriterium für das eschatologische Gericht ist, hat für Paulus nicht bloß einen taktischen Wert. Den ganzen Römerbrief durchzieht die Frage: Wer ist der legitime Erbe der Israel geschenkten νομοθεσία (vgl. 9,4)? Nicht um die Frage, ob, sondern nur um die Frage, wie das Gesetz erfüllt werden soll, geht es hier.

Darin aber weicht Paulus von seiner Tradition ab, daß er die im Glauben aufgrund des Christusereignisses empfangene Rechtfertigung nicht nur als Auftakt zum vom Geist gewirkten Gesetzesgehorsam, sondern als ein das ganze neue Leben bestimmendes Ereignis versteht. An die Stelle des „Gesetzes der Werke" tritt für ihn das „Gesetz des Glaubens". Mit dem Begriff νόμος πίστεως,

[20] Vgl. E. Käsemann, Zum Verständnis von Röm 3,24-26, (ZNW 43, 1950/51) in: Ex. Vers. u. Bes. I, S.96-100; G. Bornkamm, Die Offenbarung des Zornes Gottes, in: ders., Das Ende des Gesetzes, BEvTh 16, 1966⁵, S.9-33, dort S.12 Anm.10; E. Lohse, Märtyrer und Gottesknecht, FRLANT 64, 1963², S.149ff; S. Schulz, Zur Rechtfertigung aus Gnaden in Qumran und bei Paulus, ZThK 56, 1959, S.179; E. Brandenburger, Adam und Christus, S.237; Chr. Müller, Gottes Gerechtigkeit und Gottes Volk, FRLANT 86, 1964, S.110f; P. Stuhlmacher, Gerechtigkeit Gottes, S.185; W. Schrage, Römer 3,21-26 und die Bedeutung des Todes Jesu Christi bei Paulus, in: Das Kreuz Jesu, hg.v. P. Rieger, Forum H.12, 1969, S.65-88, dort S.84; H. Conzelmann, Grundriß, S.90; H. Thyen, Studien, S.168; D. Zeller, Sühne und Langmut. Zur Traditionsgeschichte von Röm 3,24-26, Theologie und Philosophie 43, 1968, S.51-75; A. Pluta, Gottes Bundestreue. Ein Schlüsselbegriff in Röm 3,25a, SBS 34, 1969, S.56ff; D. Lührmann, Rechtfertigung und Versöhnung, ZThK 67, 1970, S.437-452, dort S.438f; kritisch dagegen: P. v.d. Osten-Sacken, „Christologie, Taufe, Homologie". Ein Beitrag zu ApcJoh 1,5f, ZNW 58, 1967, S.255-266, dort S.259 Anm.23.

den Paulus wahrscheinlich selber geprägt hat, will er sagen: der Glaube ist die Erfüllung des Gesetzes[21]. Paulus faßt also das χωρὶς νόμου radikaler auf als die Gemeinde vor ihm. Die Umgehung des Gesetzes als Heilsweg ist für ihn nicht wie für seine Tradition eine zeitweilige, sondern sie ist für die neue Heilsordnung grundlegend. Die Vergehen der vergangenen Zeit sind für ihn nicht nur dem schwachen Wesen des Menschen zuzuschreiben, sondern dem Wesen des alten Bundes selbst, in dem die Funktion des Gesetzes sich nicht darauf beschränkte, den Gotteswillen kundzutun, sondern in dem das Gesetz auch beanspruchte, selbst allein zu Heil und Leben zu führen. Das Neue am neuen Bund bedeutet für Paulus nicht nur Vergebung der Sünden und Wandlung im anthropologischen Bereich, sondern das Neue ist die Änderung der gesamten Heilsordnung. Jetzt findet die Gesetzeserfüllung statt durch den Glauben an Jesus Christus in der Rechtfertigung sola gratia.

In *Kap.4* liefert Paulus den Schriftbeweis für das in 3,21-31 Gesagte und vertieft es gleichzeitig in mehreren Punkten[22]. Er diskutiert jetzt die Frage von 2,28f nach dem wahren Juden unter dem Aspekt der legitimen Abrahamkindschaft. Die Christen, so will er beweisen, sind nicht nur die legitimen Erben der νομοθεσία, sie stehen auch in der einzig legitimen Nachfolge der πατέρες (vgl. 9,4f).

Abraham, so heißt es in Gen 15,6, wurde aus Glauben gerechtfertigt, und zwar als Unbeschnittener. Die darauf folgende körperliche Beschneidung konnte nichts anderes sein als ein Siegel der in der Unbeschnittenheit empfangenen Glaubensgerechtigkeit. Kinder Abrahams sind folglich sowohl die Unbeschnittenen als

---

[21] Zu den verschiedenen Interpretationsmöglichkeiten vgl. Luz, Geschichtsverständnis, S.171ff.

[22] Aus der neueren Lit. über Röm 4 nennen wir: U. Wilckens, Die Rechtfertigung Abrahams nach Röm 4, in: Studien zur Theologie der alttestamentlichen Überlieferungen, Festschrift G. v. Rad, 1961, S.111-127; ders., Zu Röm 3,21-4,25. Antwort an G. Klein, EvTh 24, 1964, S.586-610; G. Klein, Röm 4 und die Idee der Heilsgeschichte, (EvTh 23, 1963) in: Rekonstruktion und Interpretation, S.145-169; ders., Exegetische Probleme in Röm 3,21-4,25. Antwort an U. Wilckens, (EvTh 24, 1964) ebd. S.170-179; K. Berger, Abraham in den paulinischen Hauptbriefen, MThZ 17, 1966, S.47-89; U. Luz, Geschichtsverständnis, S.173ff; E. Käsemann, Paul. Persp., S.140-177; G. Bornkamm, Paulus, S.151ff; Joach. Jeremias, Die Gedankenführung in Röm 4, in: Foi et Salut selon S. Paul, AnBibl 42, 1970, S.51-58.

auch die Beschnittenen, jedoch nur insoweit sie aus Glauben gerechtfertigt werden[23].

Sachlich führt Kap.4 über das bisher Gesagte insofern hinaus, als Paulus hier die Rechtfertigung als Neuschöpfung und den Glauben als Glauben an den totenerweckenden, aus dem Nichts schaffenden Gott bestimmt. Die Hoffnung ist hier ein Strukturelement des Glaubens, und der Glaube ist auf die Vollendung bezogen (V.17ff). Damit hängt zusammen, daß Paulus in 4,24f anders als in 3,24ff das Christusgeschehen nicht nur unter dem Aspekt des stellvertretenden Todes, sondern auch unter dem der Auferweckung betrachtet. Die Intention dieser Stelle ist es, das an den Tod Jesu und das an seine Auferweckung gebundene Heil gleichzusetzen, und somit die Rechtfertigung aus Glauben als eine das ganze Leben umfassende eschatologische Neuschöpfung darzustellen. Wir haben es hier mit einem typisch paulinischen Anliegen zu tun.

Mit dem Gedankenschritt von 3,21-31 bzw. 4 zu *5,1-11* folgt Paulus dem traditionellen, aus den alttestamentlichen Torliturgien bekannten Schema: dem als gerecht Deklarierten wird der Einlaß in den Raum der Gegenwart Gottes gewährt, oder die in den Verheißungen des neuen Bundes begegnende Variante: durch die Vergebung oder Reinigung wird das Verhältnis zwischen Jahwe und Israel zu einem Schalomzustand.

Durch die Rechtfertigung aufgrund des Christusgeschehens, so schreibt Paulus, sind die Gläubigen in einen Stand des Friedens und der Versöhnung mit Gott versetzt worden, haben sie Zutritt zum Bereich der Charis und können sich der Hoffnung auf die künftige Herrlichkeit rühmen[24]. Die gegenwärtige Zeit der Charis ist bestimmt von der sicheren Hoffnung auf die zukünftige Doxa.

Die Sicherheit der Hoffnung ist im Christusereignis begründet. Mittels eines Qal Vachomer-Schlusses schließt Paulus in V.6-10

---

[23] Berger, a.a.O. S.63, macht mit Recht auf den Zusammenhang von Röm 2,25ff mit Röm 4 aufmerksam; doch kann man im Sinne des Römerbriefes schwerlich mit Berger sagen, die Beschneidung des Herzens im Geiste sei ein „Konkurrenzweg" zur Gewinnung der Gerechtigkeit neben dem Weg des Glaubens.

[24] Zum Verhältnis von Rechtfertigung und Versöhnung, vgl. L. Goppelt, Versöhnung durch Christus, (Luth. Monatsheften 6, 1967) in: ders., Christologie und Ethik, 1968, S.147-164; D. Lührmann, ZThK 67, S.437-452.

von der Eigenart des Todes Jesu als Tod für die Sünder auf die Sicherheit der Rettung der Gerechtfertigten im eschatologischen Gericht, von der Teilhabe am Tode Jesu auf die Teilhabe am Auferstehungsleben Jesu. Die Teilhabe am Tod und die an der Auferstehung Jesu sind wohl zeitlich, nicht aber sachlich voneinander zu trennen.

b. In diesem Zusammenhang redet Paulus nun auch von der Gabe des Geistes. „Die Hoffnung", so heißt es in 5,5, „läßt nicht zuschanden werden, denn die Liebe Gottes ist in unsere Herzen ausgegossen durch den heiligen Geist, der uns gegeben ist".

Die Erwähnung des Geistes neben Christus an dieser Stelle bleibt rätselhaft, wenn man nicht davon ausgeht, daß Paulus hier dem traditionellen Verkündigungsschema folgt. Ähnlich wie wir in Röm 3,21ff versuchten, das traditionelle und das typisch paulinische Verständnis vom Heilswerk Christi voneinander abzuheben, müssen wir auch hier zunächst nach dem Geistverständnis der vorpaulinischen Gemeinde fragen. Dazu ist zu sagen, daß in Röm 5,5 wie in 3,24f das Motiv der Bundeserneuerung zugrunde liegt. Schon einige sprachliche Indizien legen das nahe. Das Verbum δίδωμι erscheint im Zusammenhang mit dem Geist auch in 1 Thess 4,8 und zwar dort offensichtlich in Aufnahme von Ez 36,27; 37,14. Möglicherweise ist auch die Redeweise von der „Ausgießung" der Gottesliebe in Anlehnung an die alttestamentlichen Verheißungen einer Geistausgießung formuliert (vgl. Ez 39,29; Jo 3,1ff)[25]. Sachlich gehört auch die Rede von der Liebe Gottes in diesen Vorstellungskomplex. Gottes Liebe bedeutet im AT die Erwählung zum Bunde[26].

Die traditionsbedingte Intention des Textes wird aber erst klar, wenn wir die Wendung „in unsere Herzen" näher betrachten. Von der Verfassung des menschlichen Herzens war in Röm 1,18-3,20 mehrfach die Rede. In Röm 1 sagte Paulus von den Heiden, ihr Herz sei durch die Sünde verfinstert und ihr Geist ἀδόκιμος geworden (1,21.28). Ebenso lautete die Anklage gegen die Juden in Kap.2, ihr Herz sei verhärtet und unbußfertig (2,5). Wie wir

25) So M. Dibelius, Vier Worte des Römerbriefes, SyBU 3, 1944, S.3-17, dort S.6; A. Schlatter, Gottes Gerechtigkeit, 1959³, S.180; W. Bauer, WNT, Sp.490; anders: J. Behm, Art. ἐκχέω κτλ. ThW II, dort S.466 Anm.3.
26) Vgl. W. Zimmerli, Art. „Liebe II", RGG³ IV, Sp.363f.

sahen, nahm Paulus mit diesem Vorwurf ein stereotypes Motiv aus der alttestamentlich-prophetischen Anklage des Bundesbruches auf. Positiv schilderte er in 2,15.29, wiederum in Anlehnung an die prophetischen Verheißungen einer Bundeserneuerung, das Bild des Heiden, in dessen Herz das Werk des Gesetzes geschrieben ist, und das des Juden, der durch den Gottesgeist am Herzen beschnitten ist. Dasselbe traditionelle Motiv erscheint nun in 5,5. Bei den Gläubigen, so wird hier verkündigt, ist die Herzensverstockung aufgehoben und somit die von den Propheten angekündigte Änderung im anthropologischen Bereich eingetreten. Durch diese Änderung im anthropologischen Bereich ist die Bewährung bis zum Endgericht gesichert, der Geist bedeutet somit die Verbürgung der Hoffnung.

Die christologische Tradition von 3,24f und die pneumatologische Tradition von 5,5 ergeben zusammen ein einheitliches Bild. Es wird hier die Anschauung einer Gemeinde sichtbar, die über den Tod Jesu und über die Gabe des Geistes in Kategorien der Bundeserneuerung dachte. Im Tode Jesu sah sie die angekündigte Vergebung der Sünden begründet und die Gabe des Geistes bedeutete für sie die neue Ermöglichung des Gesetzesgehorsams.

Wie er es in Röm 3,21ff mit der christologischen Tradition tat, so gestaltet Paulus auch in 5,5 die pneumatologische Tradition in charakteristischer Weise um. Der Erweis der Gottesliebe in der Gabe des Geistes ist für ihn – das geht aus der Fortsetzung in 5,6ff hervor – kein anderer als der Erweis der Gerechtigkeit Gottes im Tode Jesu. Nur indem der Geist die Rechtfertigung aus Glauben dokumentiert, verbürgt er den Anteil an der zukünftigen Herrlichkeit Gottes. Auch hier bringt Paulus zum Ausdruck: Die Bedeutung des Kreuzes Jesu erstreckt sich auf das ganze neue Leben. Die Wandlung im anthropologischen Bereich steht im Zeichen der Wandlung der ganzen Struktur der Heilsordnung.

Das theologische Gewicht der Stelle Röm 5,5 liegt also darin, daß Paulus hier die Pneumatologie ganz von der Christologie, und zwar von der Kreuzestheologie her, bestimmt. In seinem Kampf gegen das jüdische Gesetzesverständnis nimmt Paulus die frühchristliche Tradition vom neuen Bund kritisch auf, indem er das darin angelegte Gnadenverständnis radikalisiert. Daß Gottes Gnade das Ende alles Menschlichen bedeutet, ist für ihn nirgends schärfer ausgedrückt als im Kreuz. Nur wo das Leben im Geist ganz im

Zeichen des Kreuzes steht, ist für ihn die Gefahr des Nomismus gebannt.

Auf zweierlei ist noch hinzuweisen: Erstens ist zu beachten, daß der Geist hier nicht explizit als Geist Christi erscheint. Eine traditionsgeschichtliche Untersuchung darf bei der Erklärung des Zusammenhangs von Gabe des Geistes und Rechtfertigung aus Glauben nicht von dem Verständnis des Geistes als Dynamis des Auferstandenen ausgehen. Wohl aber zeigt Kap.4, wie eng für Paulus Kreuz und Auferstehung zusammengehören und wie wenig bei ihm Platz ist für eine grundsätzliche Unterscheidung zwischen dem Geist als Frucht des Todes Jesu und dem Geist als Dynamis des Auferstandenen.

Zweitens darf man – und das gilt sowohl für das traditionelle als auch für das paulinische Verständnis – in Röm 5,5 nicht, wie es in der Auslegung oft geschieht, einen Appell an die Glaubenserfahrung sehen[27]. Der Geist verbürgt hier nicht nur deswegen die Hoffnung, weil er uns – „subjektiv" – der Liebe Gottes gewiß macht, sondern vor allem, weil er – „objektiv" – die Herzen verwandelt und somit die Bewährung bis zum Endgericht ermöglicht[28].

3. Der Geist und der gerechte Wandel (5,12-8,39)

Röm 3,21-5,11 bildet einen in sich geschlossenen Zusammenhang.

[27] Nach Dibelius, Vier Worte, S.6, will Paulus die in den Versen 6ff objektiv zu beweisende Liebe Gottes in V.5 den Lesern subjektiv gewiß machen, indem er sie an ihre Erfahrung des Geistes erinnert. Nach I. Hermann, Kyrios und Pneuma, S.112f und J. Blank, Paulus und Jesus, S.276, appelliert Paulus in V.5 an die Erfahrung der Gottesliebe im Inneren des Menschen. Vorsichtiger urteilt O. Michel, Röm, z.St.: „der heilige Geist vermittelt, daß Gottes Liebe in unsere Herzen ausgegossen wird; der heilige Geist macht uns gewiß (in den Anfechtungen), daß Gottes Liebe in unsere Herzen ausgegossen ist; das Wissen um die Liebe Gottes zu uns ist durch den uns gegebenen heiligen Geist in unsere Herzen ausgegossen".
[28] R. Bultmann, Adam und Christus nach Röm 5, ZNW 50, 1959, S.145-165, dort S.148f, unterscheidet in Röm 5,5 zwei verschiedene Gedanken: 1. Die Hoffnung kann nicht trügen, weil der in unsere Herzen ausgegossene Geist die ἀπαρχή oder der ἀρραβών der eschatologischen Zukunft ist. 2. Wir sind der göttlichen Liebe gewiß und diese Gewißheit schließt die Heilsvollendung in der Zukunft ein. Offen bleibt bei dieser Exegese jedoch, wieso der Geist ein Pfand der zukünftigen Erlösung ist. Röm 8,23 bedarf ebenso einer traditionsgeschichtlichen Erklärung wie Röm 5,5.

Paulus hat in diesem Teil des Briefes in Aufnahme und Korrektur seiner Tradition gezeigt, daß man Anteil an der δικαιοσύνη und an der zukünftigen ζωή nur aufgrund des Christusereignisses und der Gabe des Geistes bekommen kann, daß die wahre Erfüllung des Gesetzes nur durch die Rechtfertigung aus Glauben möglich ist. Die Frage ist in diesem Abschnitt offen geblieben, wo denn Platz ist für den gerechten Wandel. Der Vorwurf war schon gegen Paulus erhoben, daß durch die Rechtfertigung allein aus Gnaden der tätige Gehorsam überflüssig und somit der Weg für die Sünde frei geworden sei (vgl. 3,8).

Auf diese Frage geht Paulus ein in 5,12-8,39. Der neue Abschnitt läuft im wesentlichen parallel zu 3,21-5,11. Wiederum dem traditionellen Schema folgend, beantwortet Paulus die gestellte Frage zunächst von der Christologie und sodann von der Pneumatologie her und läßt das Ganze in einen Ausblick auf das zukünftige Leben münden[29]. Von der Tradition her ist es verständlich, daß die Pneumatologie, der in 3,21-5,11 nur ein geringer Platz eingeräumt war, in 5,12-8,39 breit entfaltet wird.

a. In *5,12-21* setzt Paulus noch einmal ein mit einer grundlegenden Beschreibung des Christusereignisses[30]. Er tut das, indem er Christus als den eschatologischen Adam darstellt und seine Bedeutung in antithetischem Gegenüber zu der des ersten Adams entfaltet. Unter Aufnahme des in 3,21-5,11 Gesagten beschreibt Paulus die Heilsbedeutung Christi als Gerechtigkeit und Leben. Mit der geänderten Blickrichtung dürfte es zusammenhängen, daß das Heilswerk Christi hier anders als in 3,24f als Rechtstat (δικαίωμα) bzw. als Gehorsam (ὑπακοή) bestimmt wird. Die neue Akzentsetzung wird auch darin sichtbar, daß Paulus die Charis hier als einen Herr-

---

[29] Daß 5,12-21 nicht ein Anhang zu 5,1-11, sondern die grundlegende Einleitung zu 6-8 ist, hat E. Brandenburger, Adam und Christus, S.255-264, ausführlich begründet. Diese Auffassung hat bis jetzt aber kaum Beachtung gefunden. Zur Parallelität von Röm 5,1-11 mit 8,1-39 vgl. N. A. Dahl, Two Notes on Romans 5, StTh 5, 1951, S.37-48, dort S.37-42. Zum Aufbau des Römerbriefes in der Forschung vgl. U. Luz, ThZ 25, S.161-181.

[30] Für Einzelprobleme sei verwiesen auf: G. Bornkamm, Paulinische Anakoluthe im Römerbrief, in: Das Ende des Gesetzes, S.76-92, dort S.80-90; R. Bultmann, ZNW 50, S.152-165; E. Brandenburger, Adam und Christus, passim; E. Jüngel, Das Gesetz zwischen Adam und Christus, ZThK 60, 1963, S.42-74.

schaftsbereich beschreibt, in dem Gerechtigkeit und Leben „regieren".

Dem vom eschatologischen Adam eröffneten Herrschaftsbereich der Charis steht der vom ersten Adam bestimmte Machtbereich der Sünde und des Todes gegenüber. In diesem Bereich hat das Gesetz seinen Platz. Das Gesetz ist „daneben hineingekommen" sagt Paulus, um die Sünde zu vermehren. Erst durch das Gesetz wurde die seit Adam bestehende Sünde als solche qualifiziert und in ihrem Wesen offenbar. Die heilsgeschichtliche Funktion des Gesetzes war es nie, Gerechtigkeit zu schaffen, sondern allenfalls durch das Vermehren der Sünde die Herrschaft der Gnade negativ vorzubereiten[31].

Die Antwort auf die Frage, ob die Gnade Gottes den Weg zur Sünde freigibt, ist durch diese Darstellung schon vorweggegeben. Sie wird aber entfaltet in *6,1-7,6*, wo Paulus das Gesagte mit der Tauftradition in Verbindung bringt[32]. Wer auf Christus getauft ist, so führt er aus, ist mit Christus gestorben und wird mit ihm Anteil haben am Auferstehungsleben[33]. Das bedeutet: er ist aus dem Machtbereich der Sünde und des Todes in den der Gerechtigkeit und des Lebens versetzt worden. Weil aber der Bereich der Gerechtigkeit ein Herrschaftsbereich ist, kann man darin nicht untätig sein, sondern nur aktiv dienen. Gerade erst im

---

[31] Vgl. Gal 3,19ff.
[32] Lit. zu Röm 6: G. Bornkamm, Taufe und neues Leben, in: Das Ende des Gesetzes, S.34-50; G. Wagner, Das religionsgeschichtliche Problem von Röm 6,1-11; N. Gäumann, Taufe und Ethik, Studien zu Röm 6, BEvTh 47, 1967; R. C. Tannehill, Dying and Rising with Christ, S.7-39; H. Thyen, Studien, S.194-217. P. Siber, Mit Christus leben, AThANT 61, 1971, S.191-249
[33] Wenn Paulus in Röm 6 von der Teilhabe an der Auferstehung Christi nur im Futurum redet, so ist das in seiner Tradition begründet (dazu oben S. 74). In der Weise, in der Paulus diese Tradition in Röm 6 auslegt, kann man eine indirekte antienthusiastische Spitze sehen. Fraglich aber ist, ob er sich hier direkt gegen eine Anschauung wendet, für die das „Mit-Auferstehen" in der Taufe schon geschehen ist. Gegen Käsemann, Ex. Vers. u. Bes. II, S.120f; E. Lohse, KuD 11, S.314; Tannehill, a.a.O. S.10ff; H. Conzelmann, Grundriß, S.299. Vgl. jetzt auch P. Siber, a.a.O. S.199ff. Es ist nicht zu bestreiten, daß die Anschauung vom gegenwärtigen Auferwecktsein der Christen in der Gemeinde vor und neben Paulus lebte, doch gibt es keine sicheren Anhaltspunkte dafür, daß Paulus sich in Röm 6 gegen eine solche Anschauung wendet. Das Verhältnis des Paulus zum sog. Enthusiasmus ist im wesentlichen noch ungeklärt.

Bereich der Rechtfertigung aus Glauben gibt es den gerechten Wandel.

Auf die Frage nach dem Gesetz zugespitzt, bedeutet das: Durch die Taufe auf Christus sind die Gläubigen von der die Sünde verursachenden Macht des Gesetzes befreit, um dem Gott, der vom Tode zum Leben erweckt, dienstbar zu werden. An die Stelle des alten Dienstes des Grammas ist der neue Dienst des Geistes getreten.

Wir können hier nicht im einzelnen auf die Frage nach dem Verhältnis von Tradition und paulinischer Interpretation in diesen Ausführungen eingehen. Nur ein Gesichtspunkt sei hervorgehoben: Die christologische Tauftradition von Röm 6,3ff, in der die Eikon-Soteriologie bestimmend ist, ist – anders als die Tradition vom Sühnetod Jesu in 3,24f – weniger an der Frage nach der Sünden-vergebung als vielmehr an der Frage nach dem Leben und dem Wandel der Gläubigen orientiert. Die Anschauung von der Be-deutung Christi für den Wandel der Gläubigen an sich ist keines-wegs ein paulinisches Proprium[34]. Neu gegenüber der Tradition ist hier aber die grundsätzliche und radikale Kontrastierung von Charis und Nomos.

b. In 7,6 ist der Punkt gekommen, um von der Bedeutung des Geistes zu reden. Wie die Bedeutung Christi entfaltet Paulus auch die Bedeutung des Geistes antithetisch. Dabei nimmt er die schon in 2,28f verwendete Gramma-Pneuma-Antithese wieder auf. Die Antithese ist durch das ab 3,21 Gesagte in ein neues Licht gerückt.

In 7,7-25 beschreibt Paulus zunächst den Dienst des Grammas[35]. Das Gesetz selbst, so sagt er, ist zwar gerecht und zum Leben gegeben, es ist selbst πνευματικός, der Mensch aber ist σαρκινός und als solcher ein machtloses Instrument der Sünde, dem Tode verfallen. Die Sünde ist so übermächtig, daß sie sogar das Gesetz in ihren Dienst stellt, um den Menschen zu verführen. Unter fremde Herrschaft geraten, weckt das Gesetz nicht nur die Er-kenntnis der Sünde, sondern es ist auch aktiv am Entstehen der Sünde beteiligt, insofern sich die Sünde gerade am Gebot entfacht.

---

[34] Dazu oben S. 74ff.
[35] Die wichtigste neuere Literatur zu Röm 7 ist zusammengestellt bei K. Kertelge, Exegetische Überlegungen zum Verständnis der paulinischen Anthropologie nach Römer 7, ZNW 62, 1971, S.105-114, dort S.104f Anm.1.

Der Mensch, der unter der Herrschaft des Gesetzes steht, lebt in einem tödlichen Zwiespalt zwischen Wollen und Vollbringen. Als νοῦς bejaht er das Gottesgesetz, als σάρξ kann er nicht anders, als es zu übertreten. Der Dienst des Grammas kann deswegen keine Gerechtigkeit und kein Leben zur Folge haben, weil es ein Dienst des trotz seines göttlichen Ursprungs in die Gefangenschaft von Sarx und Sünde geratenen Gesetzes ist[36].

Demgegenüber entfaltet Paulus in *Kap.8* das Wesen des neuen Dienstes im Geist. Das Kapitel läßt sich in drei Hauptabschnitte unterteilen.

1) *V.1-11*[37]. Der Dienst des Geistes, so heißt es in V.1f, steht ganz im Zeichen der Rechtfertigung. Für die Gläubigen gibt es keine Verdammnis mehr, denn sie sind durch das „Gesetz des Geistes des Lebens in Jesus Christus"[38] befreit vom „Gesetz der Sünde und des Todes". Durch das Christusereignis ist das Gesetz aus seiner Gefangenschaft befreit. Der Nomos, von seinem Ursprung her πνευματικός und εἰς ζωήν gegeben, wird erst durch das Christusereignis zum νόμος τοῦ πνεύματος τῆς ζωῆς[39]. Das bedeutet keineswegs eine restitutio in integrum, sondern mit dem Christusereignis tritt das Gesetz in eine total neue Geschichte ein. Das Neue ist nicht etwa darin zu sehen, daß der Nomos jetzt den Geist spendet – τοῦ πνεύματος in V.2 ist gen.poss.[40], – sondern darin, daß das von seinem Ursprung her pneumatische Gesetz nunmehr einen pneumatischen Wirkungsbereich hat, daß jetzt Geist auf Geist trifft.

Wie das zu verstehen ist, entfaltet Paulus im folgenden schrittweise. Was das Gesetz nicht vermochte, so heißt es in V.3f, das hat Gott vollbracht: „Gott hat, indem er seinen eigenen Sohn sandte in der Gestalt des Sündenfleisches und um der Sünde willen,

---

[36] Röm 7,12.14 steht im Widerspruch zu Gal 3,19.

[37] Vgl. zu diesem Abschnitt J. Huby, La vie dans l'esprit d'après Saint Paul (Rom 8), RechSR 30, 1946, S.5-39; W. Pfister, Das Leben im Geist nach Paulus, S.29-48; Versteeg, Christus en de Geest, S.338-380.

[38] ἐν Χριστῷ Ἰησοῦ in V.2 ist mit ὁ νόμος κτλ. zu verbinden, nicht nur mit ζωῆς.

[39] Paulus redet in Röm 8,2 nicht von zwei verschiedenen Gesetzen. „Er redet von demselben einen Gesetz. Aber von diesem Gesetz redet er als von einer geschichtlichen Größe"; so E. Jüngel, Paulus und Jesus, HUTh 2, 1964², S.55. Zum Problem auch I. Beck, Altes und neues Gesetz, MThZ 15, 1965, S.127-142.

[40] Dazu Jüngel, .a.a.O. S.61.

das Urteil über die Sünde im Fleische gesprochen, damit die Rechtsforderung des Gesetzes erfüllt würde in uns, die wir nicht nach dem Fleische, sondern nach dem Geiste wandeln". Es begegnet hier dasselbe Schema christologischer Verkündigung wie in Gal 3,13f und 4,4f: Der Vordersatz beschreibt das Heilswerk Christi, der mit ἵνα eingeleitete Nachsatz formuliert in antithetischer Entsprechung dazu die Heilsbedeutung dieses Werkes.

Wie in Gal 4,4 wird auch hier das Heilswerk als Sendung des himmlischen Gottessohnes in die irdische Welt beschrieben. Wie dort ist auch hier die Vorstellung von der Inkarnation mit dem vom Heilstod Christi verbunden[41]. Maßgebend ist der Gedanke der Stellvertretung.

Eigenartig ist die Formulierung der Heilsbedeutung der Sendung Christi. Die passivische Wendung πληρωθῇ ist keineswegs „ein Hinweis darauf, daß die Erfüllung des Gesetzes nicht so sehr von der eigenen Bemühung abhängt, als vielmehr von dem Leben im Geist"[42]. Die Tatsache, daß τὸ δικαίωμα τοῦ νόμου und nicht ἡμεῖς das Subjekt des ἵνα-Satzes ist, besagt, daß es in diesem Satz primär um die Geschichte des Gesetzes geht. Der direkte Heilssinn der Sendung Christi ist hier die Befreiung des Gesetzes aus der Macht des Sündenfleisches. Zwar ist die Geschichte des Gesetzes nicht von der Geschichte des Menschen zu lösen – Paulus geht in V.4 davon aus, daß die Gläubigen am Geist Anteil haben –, doch steht die anthropologische Frage hier nicht im Vordergrund. Der Geist erscheint weniger als eine Gabe als vielmehr als eine Macht und Norm. Die sich aufdrängende Frage, ob etwa die Gegenwart des Geistes nicht mehr ist als die zwangsläufige Folge der Vernichtung der Macht des Fleisches, bleibt zunächst offen.

Auch die Verse 5-8 sind orientiert an der Frage nach dem Schicksal des Gesetzes. Paulus stellt zunächst Pneumatiker und Sarkiker einander gegenüber (V.5), er beschreibt sodann das Wesen und

---

[41] Zum Ganzen vgl. oben S. 97ff. Auf den Tod Jesu dürfte hier die Wendung περὶ ἁμαρτίας hinweisen. περὶ ἁμαρτίας ist in der LXX oft Übersetzung von חטאת, Sündopfer; vgl. W. Sanday-A. C. Headlam, The Epistle to the Romans, ICC, 1902⁵, S.193; Th. Zahn, Der Brief des Paulus an die Römer, 1925³, z.St.; E. Schweizer, ThW VIII, S.386; es steht aber auch für אשם, Schuldopfer, vgl. Lev. 5,6; 4 Kön 12,16(17); Jes. 53,10. Es ist nicht auszuschließen, daß hier eine Reminiszenz an Jes 53,10 vorliegt. Ob allerdings bei Paulus der Opfergedanke noch lebendig ist, ist fraglich.
[42] So A. van Dülmen, Die Theologie des Gesetzes bei Paulus, S.123.

Wirken der Mächte Sarx und Pneuma (V.6) und lenkt von da aus zur Frage nach dem Gesetz zurück (V.7): Fleisch und Geist mitsamt ihrer jeweiligen Gefolgschaft sind in gleicher Weise gekennzeichnet durch ein φρονεῖν, durch eine zielgerichtete, Wollen und Denken umfassende Bewegung[43]. Die „Intention" des Fleisches ist der Tod; die „Intention" des Geistes dagegen ist Leben und Frieden. Im Bereich des Fleisches kann das Gesetz grundsätzlich nicht zu seinem Ziel, die ζωή zu schaffen, gelangen.

Erst in V.9-11 richtet Paulus den Blick auf den Gläubigen und seinen Geistbesitz. Daß die Gläubigen sich im lebenbringenden Machtbereich des Geistes befinden, ist sicher, denn Gottes Geist wohnt in ihnen. Einen Christusgläubigen ohne Anteil am Geist Christi kann es gar nicht geben[43a]. Paulus identifiziert hier den Geist Gottes mit dem Geist Christi. Er denkt konkret an die Macht, mit der Gott Christus von den Toten auferweckt hat und die seitdem als Dynamis des auferstandenen Christus wirksam ist. Für den, in dem der Auferstandene wohnt, gilt: „Der Leib ist (zwar) tot in Hinblick auf die Sünde, der Geist aber lebendig in Hinblick auf die Gerechtigkeit" (V.10). Der in der Auslegung umstrittene Satz ist nach Röm 6,6ff zu interpretieren: der Sündenleib des alten Menschen ist gestorben, so daß der Dienst an der Sünde ausgeschlossen ist[44]. An die Stelle des alten Menschen ist eine neue Identität getreten, der Geist, bzw. der pneumatische Christus, der den Dienst der Gerechtigkeit ermöglicht. Das Gestorbensein des Leibes ist ein Aspekt der Erlösung[45]. Dagegen spricht nicht, daß

---

[43] Dazu Bultmann, Theologie des NT, S.215.

[43a] O. Michel, Röm, S.192 vermutet, daß in V.9b eine ursprüngliche Scheideformel vorliegt. Dagegen spricht jedoch der Ind. Präs. im Nachsatz; es wäre eine imperativische Form zu erwarten (vgl. außer I Kor 16,22 und Did 10,6 auch Luc, Alex 38). Von seinem Inhalt her wäre der Satz als Scheideformel auch schwer zu lokalisieren. Auffällig bleibt jedoch die Form des negierten Konditionalsatzes, wodurch die Aussage eine eigentümliche Betonung erhält. Ein nach Form und Inhalt ähnlicher Satz findet sich in I Kor 12,3b.

[44] διά ist beide Male final zu verstehen; διὰ ἁμαρτίαν bedeutet: τοῦ μηκέτι δουλεύειν ὑμᾶς τῇ ἁμαρτίᾳ (vgl. Röm 6,6); zu διὰ δικαιοσύνην vgl. Dibelius, Vier Worte, S.11. Vgl. jedoch Siber, a.a.O. S.82f.

[45] Mit Lietzmann, Röm, S.80; Bultmann, Theologie des NT, S.209; C. K. Barrett, The Epistle to the Romans, BNTC, Neudr. 1971, S.159; Kuß, Röm, S.503f; Die Gegner dieser Auslegung sind aufgezählt bei Versteeg, a.a.O. S.368 Anm.219.

das μέν in der ersten Hälfte des Nachsatzes ein konzessives Element enthält. Das konzessive Element bezieht sich nicht auf ein Beherrschtsein des Leibes durch die Sünde, sondern auf die Tatsache, daß die lebendigmachende Wirkung des Auferstandenen in Hinblick auf den Leib noch aussteht. Es ist darin der eschatologische Vorbehalt ausgedrückt. Der Leib ist zwar nicht mehr wie früher bedingungslos der Sünde ausgeliefert, er lebt aber noch am Ort der Versuchung, in dem Grenzgebiet zwischen Fleisch und Geist. Die endgültige Erlösung, durch die auch der Leib ganz in die Sphäre des Geistes und des Lebens gerückt wird, so fügt Paulus deswegen in V.11 hinzu, ist in dem jetzigen Anteil am Geist ebenfalls verbürgt.

Wenn Paulus also in V.2 von dem „Gesetz des Geistes des Lebens in Christus Jesus" redet, so meint er konkret das eine Gottesgesetz, das durch die Erniedrigung Christi aus der Macht des Fleisches befreit, durch die Ausgießung des Geistes des Auferstandenen in die Gläubigen wirksam geworden ist und so sein Ziel, das „Leben" zu schaffen, erreicht. Die „Herzensbeschneidung im Geist" (2,29), der „Dienst im neuen Geist" (7,6), so bringt Paulus in diesem Abschnitt zum Ausdruck, ist nur in Jesus Christus, im Kraftfeld seines Todes und seiner Auferstehung möglich und wirklich. Anders gesagt: Der von den Propheten verheißene neue Bund wird Realität nur in der eschatologischen Neuschöpfung, die Gott durch Jesus Christus hervorbringt[45a]. Nur im Bereich der kosmischen Herrschaft Christi ist der geistgewirkte Gehorsam möglich und der Zugang zum Leben offen.

Es ist nicht leicht, in Röm 8,1-11 Tradition und paulinische Interpretation genau voneinander zu unterscheiden. Anders als z.B. in Röm 5,5, aber ähnlich wie in Gal 4,4ff knüpft Paulus hier an eine Tradition an, die vom Geist ganz im Rahmen der Christusverkündigung sprach. Insoweit ist an dieser Stelle die enge Bindung der Pneumatologie an die Christologie nicht als das hervorstechende paulinische Merkmal zu betrachten.

Eher ist die eigenartige heilsgeschichtliche Konzeption, die

[45a] Zum Motiv des neuen Bundes in Röm 8,2ff vgl. J. Schniewind, Das Evangelium nach Markus, NTD, 1952[6], S.183; R. Schreiber, Der Neue Bund im Spätjudentum und Urchristentum, Diss. masch. Tübingen, 1954, S.99f; St. Lyonnet, Rom. 8,2-4 à la lumière de Jér. 31 et d'Éz. 35-39, in: Mélanges E. Tisserand Vol. I, StT 231, 1964, S.311-323.

Auffassung über die Stellung des Gesetzes im Rahmen der vom Christusgeist beherrschten Heilsordnung, als eine Schöpfung des Paulus anzusehen. Vor Paulus, namentlich in der hellenistischen Gemeinde, war der Gedanke bekannt, daß Christus den Menschen vom Joch des Gesetzes befreit. In der judenchristlichen Gemeinde war der Gedanke lebendig, daß der Geist dem Menschen die Möglichkeit zur Erfüllung des Gesetzes schenkt. Gemeinchristlich war die Anschauung von dem Kampf zwischen Fleisch und Geist. Doch dürfte die Meinung, daß durch Christus und seinen Geist der Nomos selber aus der Gefangenschaft des Fleisches befreit wird und so zu seinem Ziele kommt, ein paulinisches Proprium sein. Das Neue am neuen Bund liegt für Paulus nicht bloß im Bereich des Anthropologischen. Die paulinische Antithese von Pneuma und Gramma redet von einem Wechsel im Bereich der die Welt beherrschenden Mächte. Zwar ist nicht anzunehmen, daß erst Paulus die Verbindung zwischen der an der Frage nach dem neuen Gehorsam orientierten Tradition vom neuen Bund und der anderen von der Neuschöpfung des Kosmos durch den Christusgeist herstellte, doch kann man sagen, daß die kosmische Bedeutung des Geistes im Rahmen der heilsgeschichtlichen Konzeption des Paulus ein neues Gewicht erhält.

2) *V.12-17.* Hatte Paulus in V.10f die Diskrepanz zwischen der schon gegenwärtigen und der noch ausstehenden Erlösung hervorgehoben, so schiebt er in V.12f einen kurzen paränetischen Teil ein[46]. Der Leib der Gläubigen ist zwar tot, bis zur Auferstehung aber ist er noch der Ort der Versuchung, der Ort der Anfechtung durch die Sarx und darum ist hier der Imperativ geboten. Nur wer sich vom Geist treiben läßt, ist ein Sohn Gottes.

Beim Stichwort „Sohn Gottes" wandelt sich der Ton wieder vom Imperativ in den Indikativ. Der Dienst des Geistes, so heißt es in V.14-17, ist nicht ein Sklavendienst, sondern ein Dienst des Freien. Er impliziert den freien Zutritt zu Gott im Gebet. Er begründet ebenso die Hoffnung, denn als Söhne sind die Gläubigen Erben, sie sind gewiß, daß sie mit Christus, der als auferstandener Gottessohn das Erbe in Herrlichkeit schon angetreten hat, miterben werden.

[46] Vgl. den verwandten Abschnitt 6,12f.

In dem indikativischen Teil folgt Paulus wieder dem traditionellen Verkündigungsschema, wie er auch in Röm 5 auf die grundlegende Darstellung der neuen Gerechtigkeit einen Abschnitt über den Zustand des Friedens mit Gott, den freien Zutritt zum Bereich der Charis und die darin begründete Hoffnung folgen ließ. Die neue Gerechtigkeit, sei es, daß die forensische, sei es, daß die ethische Seite dominiert, erscheint beide Male sowohl als Heilsgut wie auch als Vorbedingung des Heils, als Zulassungsgerechtigkeit.

Im einzelnen folgt Paulus hier derselben Tradition wie in Gal 4,6f[47]. Nur einige Akzente stehen anders als im Galatertext. Dem Kontext entsprechend ist in Röm 8,14ff der Zusammenhang von Sohnschaft und gerechtem Wandel mehr betont. Detaillierter wird hier auch die Bedeutung des Abba-Rufes für die Gläubigen beschrieben. Der Abba-Ruf erscheint hier als öffentliches, rechtskräftiges Zeugnis des göttlichen Geistes, dem der menschliche Geist die Sicherheit der Gotteskindschaft und damit die Sicherheit der Hoffnung entnimmt[48]. Anders als dort schließlich macht Paulus hier den eschatologischen Vorbehalt geltend.

Die ἐλευθερία und die δόξα zählt Paulus in Röm 9,4 zu den Heilsprivilegien Israels. Hat die christliche Gemeinde Anteil an der Sohnschaft und an der Herrlichkeit, so erweist sie sich damit als Erbin des neuen Bundes. Ebenso aber, wie Paulus im Vorhergehenden die kosmischen Dimensionen des neuen Bundes herausgestellt hatte, so tut er es auch hier. Diesem Aspekt ist der folgende Teil des Kapitels gewidmet.

3) *V.18-39*[49]. Die zukünftige Offenbarung der Söhne Gottes, so sagt Paulus in V.18-22, findet nicht nur öffentlich, vor dem Forum der ganzen Welt statt, sondern die Welt wird in dieses Ereignis auch selbst einbezogen. Durch den Sündenfall wurde die gesamte Schöpfung versklavt unter der φθορά. Ebenso wie die Versklavung

---

[47] Dazu oben S. 99ff.

[48] συμμαρτυρέω hat hier dieselbe Bedeutung wie das Simplex: „bezeugen", vgl. H. Strathmann, Art. μάρτυς κτλ. ThW IV, dort S.516; W. Bauer, WNT, Sp.1541.

[49] Für Einzelheiten und weitere Lit. zu diesem Abschnitt sei verwiesen auf H. R. Balz, Heilsvertrauen und Welterfahrung. Strukturen der paulinischen Eschatologie nach Römer 8,18-39, BEvTh 59, 1971.

der Menschen unter Sünde und Gesetz geschah, damit die Gnade um so größer erscheinen würde (vgl. 6,20f), so geschah auch die Unterwerfung der Schöpfung unter die Nichtigkeit und Vergänglichkeit „auf Hoffnung hin". Wie eine gebärende Frau seufzt die Schöpfung nach der Erlösung, die in der Wiedererlangung der unvergänglichen Doxa besteht und die mit der endgültigen Befreiung der Söhne Gottes verbunden ist.

An diesem Seufzen der Schöpfung, so fährt Paulus in V.23-25 fort, haben die Gläubigen noch Anteil, denn auch für sie steht die Befreiung von der φθορά, die leibliche Erlösung, noch aus. Zwar haben sie den Geist empfangen und somit schon Anteil an der Sohnschaft, jedoch verhält sich die Gabe des Geistes zur endgültigen Erlösung wie die Erstlingsgabe zur vollen Ernte[50].

Konkret ist bei diesem Seufzen der Gläubigen, so präzisiert Paulus seine Aussage in V.26f, an das Gebet zu denken. Denn da die Heiligen selbst unfähig sind zum rechten Gebet, tritt das Pneuma für sie bei Gott ein mit unaussprechlichen Seufzern[51].

Der Gedankensprung vom Seufzen der unerlösten Schöpfung zum Gebet der Gemeinde ist nicht schwer zu verstehen, wenn man sieht, daß im AT und im Judentum das Beten häufig als „Seufzen" bezeichnet wird[52]. Das Gebet wird an dieser Stelle, wie bei Paulus auch sonst, als geistgewirkt angesehen. Redet Paulus hier von „unaussprechlichen Seufzern", so denkt er an die himmlische Sprache, deren nach frühchristlicher Anschauung die Gemeinde kraft ihrer Geistbegabung mächtig war, an die Glossolalie (vgl. 2 Kor 12,4; 1 Kor 13,1)[53].

Der Gedanke, daß die Gläubigen im Geiste den Zutritt zu Gott haben, ist, wie wir sahen, vorpaulinisch. In der Form, in der dieser

---

[50] Der Genitiv in ἀπαρχὴν τοῦ πνεύματος ist nicht als gen. part., sondern als gen. appos. aufzufassen; mit Ch. de Beus, Het begrip „Eersteling des Geestes" in het Nieuwe Testament, Vox Theologica 23, 1953, S.140-149, dort S.143; E. Schweizer, ThW VI, S.420 Anm.595 u.a.m.

[51] Zu Röm 8,26f: J. Schniewind, Das Seufzen des Geistes. Röm 8,26-27, in: Nachgelassene Reden, S.81-103; E. Gaugler, Der Geist und das Gebet der schwachen Gemeinde, IKZ 51, 1961, S.67-94; E. Käsemann, Paul. Persp. S.211-236.

[52] Vgl. J. Herrmann, ThW II, S.783; J. Schneider, Art. στενάζω κτλ. ThW VII, S.600-603.

[53] Dazu Käsemann, a.a.O. S.224ff. Für die Gegenargumente vgl. insbes. Siber, a.a.O. S.165f.

Gedanke hier erscheint, wird aber das Anliegen der spezifisch paulinischen Rechtfertigungslehre sichtbar. Es ist zu beachten, daß die Vorstellung vom glossolalischen Gebet in Röm 8,26f in einem wichtigen Punkt abweicht von der Vorstellung, die man z.B. in 1 Kor 14,14 findet. Werden in 1 Kor 14 der göttliche Geist und der Geist des Menschen in eins gesehen, so erscheint in Röm 8 der göttliche Geist als ein Wesen, das selbständig handelt und dem menschlichen Geist gegenübertritt. Diese Vorstellung ist im Zusammenhang zu sehen mit dem, was Paulus über die menschliche ἀσθένεια sagt. Mit ἀσθένεια bezeichnet Paulus hier die totale menschliche Unfähigkeit zu einem Gott wohlgefälligen Gebet[54]. Ebensowenig wie die Menschen von sich aus Gerechtigkeit aufweisen können, ebensowenig sind sie fähig zum rechten Gebet. Gott aber achtet bei den Gläubigen nicht auf das φρόνημα, das sie von sich aus haben, sondern auf das φρόνημα des Geistes. Das rechte Gebet gehört in das Rechtfertigungsgeschehen hinein. Dadurch, daß Paulus den Geist hier als selbständig handelnden Interzessor auftreten läßt, drückt er aus, daß die Gerechtigkeit der Gläubigen eine iustitia aliena ist und bleibt.

Neben einer antinomistischen enthält die Stelle, wie E. Käsemann gezeigt hat[55], auch eine antienthusiastische Spitze: Paulus reiht die Glossolalie, die für die Tradition gerade die Partizipation am Himmlischen bedeutete, in das Seufzen des versklavten Kosmos nach Erlösung ein und versteht sie so als Ausdruck des eschatologischen Vorbehalts.

In den Versen 28-30 und 31-39 argumentiert Paulus wieder von der Christologie aus. Auch hier läßt sich wieder beobachten, wie für Paulus die Funktionen des Geistes mit den Funktionen Christi zusammenfallen. Ebenso wie Paulus den Geist als Erstlingsgabe der leiblichen Erlösung beschreibt (V.23), so ist für ihn der Gottessohn der „Erstgeborene", der seinen Brüdern die Teilhabe an der Gottebenbildlichkeit und an der himmlischen Doxa vermittelt (V.29f)[56]. Ebenso wie für Paulus der Geist die endgültige Erlösung dadurch

---

[54] Dazu Käsemann, a.a.O. S.219ff.
[55] a.a.O. S.227ff.
[56] Zu 8,29 vgl. J. Kürzinger, Σύμμορφος τῆς εἰκόνος τοῦ υἱοῦ αὐτοῦ (Röm 8,29), BZ, NF 2, 1958, S.294-299; Jervell, a.a.O. S.271-84; E. Larsson, Christus als Vorbild, 1962, S. 302ff; B. Rey, Créés dans le Christ Jésus, Lectio Divina 42, 1966, S.173ff; Luz, Geschichtsverständnis, S.250ff.

verbürgt, daß er die Funktion des himmlischen Fürsprechers ausübt (V.26f), so verhält es sich nach ihm auch mit dem gestorbenen und auferweckten Christus (V.33f).

Wenn es auch in diesem Abschnitt nicht explizit ausgesprochen wird, so darf man doch auch hier voraussetzen, daß der Geist für Paulus der Geist Christi ist. Doch darf man auch hier die Funktionen des Geistes nicht einfach dadurch erklären, daß man von der Vorstellung des Christus-Pneuma ausgeht. Die Vorstellung vom Geist als „Erstlingsgabe" hat traditionsgeschichtlich andere Wurzeln als die von Christus als dem „Erstgeborenen"[57]. Dasselbe gilt für die Vorstellung vom Geist bzw. von Christus als Fürsprecher. Gerade an der Weise, wie Paulus in diesem Abschnitt die Pneumatologie getrennt von der Christologie behandelt, wird sichtbar, daß es sich jeweils um ursprünglich selbständige Traditionen handelt. Deutlicher als sonst schließlich läßt sich an diesem Abschnitt, insbesondere an V.26f. zeigen, daß der Geist für Paulus nicht nur ein „subjektiver" Heilsfaktor ist.

Rückblickend ist über das Verhältnis von Tradition und Interpretation in der Pneumatologie des Römerbriefes folgendes zu sagen: Paulus folgt seiner Tradition insofern, als er jeweils, wo er auf den Geist zu sprechen kommt, von dem Gedanken des neuen Bundes ausgeht. Die Frage nach dem Zutritt zum ewigen Leben ist für ihn identisch mit der Frage nach dem wahren Juden und nach der wahren Erfüllung des Gesetzes. Hatte er in 2,28f unter Aufnahme alttestamentlicher Gedanken gesagt, daß die wahre Gesetzeserfüllung nur als Herzensbeschneidung durch den Geist möglich ist, so präzisiert er in 3,21-5,11 bzw. in 5,12-8,39 im Anschluß an die urchristliche Tradition: nur in Jesus Christus, im Kraftfeld seines Todes und seiner Auferweckung, ist der Geist wirksam. Das wahre Gottesvolk bilden die Christus-Gläubigen; ihnen kommen sämtliche Heilsprivilegien Israels zu[58].

[57] Vgl. auch oben S. 116ff.
[58] Von den in Röm 9,4f aufgezählten Privilegien sind in Kap.1-8 zur Sprache gekommen: die Sohnschaft, die Herrlichkeit, die Gesetzgebung, die Verheißungen und die Väter. Von der wahren Gottesverehrung wird Paulus in 12,1ff noch sprechen. Nur der Begriff $\delta\iota\alpha\vartheta\acute{\eta}\varkappa\eta$ erscheint nicht, wenn man von dem Zitat 11,26 absieht, zur Bezeichnung der neuen Heilsordnung. Vgl. zu diesem Problemkomplex: W. C. van Unnik, La conception paulienne de la nouvelle alliance, in: Littérature et théologie pauliniennes, S.109-126.

Für die Gemeinde vor Paulus hatte der Geist große Bedeutung als Heilsfaktor. Der Geist war für sie der Grund des gegenwärtigen und des noch ausstehenden neuen Lebens. Über das Verhältnis von Christus und dem Geist als Heilsfaktoren gab es allerdings verschiedene Vorstellungen. Einesteils unterschied man das Werk des Geistes vom Heilswerk Christi, andernteils ließ man beide zusammenfallen. Paulus dagegen liegt alles daran, daß der Heilsbereich des Geistes sich ganz mit dem Bereich Christi deckt. Stärker als die Gemeinde vor ihm läßt er das Werk des Geistes vom Kreuz her bestimmt sein. Für ihn ist es entscheidend, daß auch im Geist das Gesetz nur als νόμος πίστεως erfüllt werden kann. Paulus will auf diese Weise unterstreichen, daß die Gerechtigkeit Gottes, die im Evangelium offenbar wird, von Anfang bis Ende Rechtfertigung des Gottlosen, creatio ex nihilo ist. Erst von hier aus ist er im Stande, die in der Tradition vom neuen Bund angelegten kosmischen Dimensionen voll zu entfalten und folgerichtiger, als seine Tradition es tat, den neuen Bund als den Bereich der universalen Neuschöpfung darzustellen.

7. KAPITEL.
DER GEIST UND DIE FREIHEIT
DES NEUEN BUNDES
(*2 Kor 2, 14-4, 6*)

Die bisherigen Ergebnisse lassen sich bestätigen und vertiefen, wenn wir schließlich noch einen kurzen Blick werfen auf 2 Kor. 3. Das paulinische „Evangelium", das im Galater- und im Römerbrief breit entfaltet wird, findet sich hier in kurzer Form. Wie dort erscheint auch hier die Frage nach dem wahren Evangelium als Frage nach der Legitimität des Apostels. Der Briefteil 2,14-7,4 wird im allgemeinen als „Apologie des apostolischen Amtes" bezeichnet.

In *2,14-17* dankt Paulus Gott, der ihn, den Apostel, in dem Siegeszug durch den Kosmos mit sich führt und der sich des Apostels bedient, um überall den himmlischen Geruch nämlich die Gotteserkenntnis zu verbreiten, ein Geruch, der dem einen Tod, dem anderen Leben bedeutet. Paulus schildert den Apostel hier als den Repräsentanten des himmlischen Herrn, dessen Vollmacht zu Segen und Fluch uneingeschränkt ist und an dessen Gestalt sich die eschatologische Scheidung der Geister entzündet.

Auf diese Beschreibung des apostolischen Dienstes läßt Paulus die Frage folgen: „Und wer ist dazu fähig?". Die Frage nach der menschlichen Fähigkeit zum göttlichen Dienst ist eine sterotype Frage aus den prophetischen Berufungsgeschichten[1]. Von diesem Hintergrund her betrachtet ist sie als Resignationsfrage zu verstehen (vgl. 1 Kor 15,9)[2]. Die traditionelle Resignationsfrage hat an dieser Stelle jedoch eine höchst aktuelle Bedeutung, weil Paulus die Befähigung zum apostolischen Dienst von seinen Gegnern in Korinth abgesprochen wurde.

Es handelt sich bei diesen Gegnern um christliche Missionare, die

---

[1] Vgl. Ex 3,11; 4,10; Jer 1,6; Jes 6,5; 40,6f; Mk 1,7.

[2] Auch D. Georgi, Die Gegner des Paulus im 2. Korintherbrief, WMANT 11, 1964, S.223f, betrachtet die Frage als eine Resignationsfrage; im Anschluß an H. Windisch, 2 Kor, z.St., sieht er jedoch nicht die prophetischen Berufungsgeschichten sondern Jo 2,11 als Hintergrund der Stelle.

die Gemeinde in Abwesenheit des Paulus besucht hatten und in deren Bann ein Teil der Gemeinde geraten war[3]. Wie Paulus betrachteten diese Missionare sich als Christusapostel. Betont sprachen sie von ihrer Zugehörigkeit zu Christus (10,7; 11,23). Nicht nur waren sie wie Christus von israelitischer Abstammung (11,22), ihre Christuszugehörigkeit rührte für sie vor allem her aus den pneumatischen Taten, die sie in der Nachfolge bzw. in der Vollmacht Christi vollbrachten (vgl. 5,12ff; 11,4ff; 12,11ff). Sie ließen sich von den Gemeinden Empfehlungsbriefe ausstellen, in denen ihre Taten erwähnt wurden (vgl. 3,1 mit 12,11ff), und demonstrierten ihre apostolische Exousia dadurch, daß sie sich von den Gemeinden unterhalten ließen (12,13ff).

Die Schwierigkeiten in Korinth entstanden dadurch, daß diese Apostel Paulus die apostolische Exousia absprachen. Paulus war ihrer Meinung nach als Apostel nicht δόκιμος. Machte er sich schon dadurch verdächtig, daß er auf das apostolische Recht, sich von der Gemeinde unterhalten zu lassen, verzichtete (11,7ff), so fehlten ihm vor allem die „Apostelzeichen", die geistgewirkten Wundertaten. Sein persönliches Auftreten war nicht das eines Pneumatikers. Seine Rede machte nicht den Eindruck inspiriert zu sein, aus seiner Rede ging nicht hervor, daß Christus durch ihn sprach, daß er somit Christus zugehörig oder Diener Christi war (12,11ff; 10,10; 13,3)[4].

---

[3] Zum Folgenden vgl. Georgi, a.a.O. passim. Außer der dort genannten Literatur: W. Bieder, Paulus und seine Gegner in Korinth, ThZ 17, 1961, S.319-333; G. Friedrich, Die Gegner des Paulus im 2. Korintherbrief, in: Abraham unser Vater, Festschrift O. Michel, 1963, S.181-215; L. Goppelt, Die apostolische und die nachapostolische Zeit, Die Kirche in ihrer Geschichte, hg.v. K. D. Schmidt und E. Wolf, Bd. I, Lfg A, 1962, S.126-136; J. Roloff, Apostolat-Verkündigung-Kirche, 1965, S.75-82; D. W. Oostendorp, Another Jesus. A. Gospel of Jewish-Christian Superiority in 2 Corinthians, Diss. V.U. Amsterdam, 1967; M. Rissi, Studien zum zweiten Korintherbrief, AThANT 56, 1969, S.7-11; C. K. Barrett, Christianity at Corinth, BJRL 46, 1964, S.269-97; ders., Paul's Opponents in 2 Corinthians, NTS 17, 1970/71, S.233-54; H. D. Betz, Eine Christus-Aretologie bei Paulus (2 Kor 12,7-10), ZThK 66, 1969, S.288-305; ders., Der Apostel Paulus und die sokratische Tradition, BHTh 45, 1972, passim; H.Köster-J. Robinson, Entwicklungslinien durch die Welt des frühen Christentums, 1971, S.55ff.141f.176f; J. P. Versteeg, a.a.O. S.220-240.

[4] Das Bild der Gegner läßt sich unter Zuhilfenahme von 1 Kor noch etwas verschärfen. In 1 Kor 1-4 und 9 verteidigt Paulus sein Apostolat. Die Ar-

Unbeschadet der Frage nach der religionsgeschichtlichen Einordnung der Auffassungen der Gegner[5], kann man sagen, daß

gumente, gegen die er sich zu verteidigen hat, sind dieselben wie im 2. Kor: fehlende σοφία λόγου bzw. λόγος σοφίας (1,17; 2,1f; 4,19f) und fehlende ἐξουσία bzw. ἐλευθερία namentlich in Bezug auf den Unterhalt durch die Gemeinde (9,1ff). Die Existenz der anderen Apostel ist angedeutet zum einen in 4,15, wo Paulus redet von μύριοι παιδαγωγοί der Gemeinde, und zum anderen in 9,2, wo Paulus diejenigen, die sein Apostolat bestreiten noch als „ἄλλοι" gegen die Gemeinde abgrenzen kann. Der Einfluß der Gegner ist hier noch nicht so weit gediehen wie in 2 Kor 10-13. Der Streit um die sogenannten Parteien um Paulus, Apollos, Kephas und Christus, von dem in 1,12 die Rede ist, läßt sich in diesem Rahmen so verstehen, daß die Gegner die Exousia und Begabung anderer großer Apostel, wie Apollos und Kephas, gegen die des Paulus ausgespielt haben (vgl. 9,6). Die sachliche Verwandtschaft zwischen der Polemik in 1 Kor 1-4 und 9 und der in 2 Kor ist von Georgi nicht beachtet. Zum engen Zusammenhang von 1 Kor 1-4 mit 2 Kor 10-13 vgl. H. Windisch, 2 Kor, S.25f; J. Harrison, St. Paul's Letters to the Corinthians, ET 77, 1966, S.285f; daß es auch in 1 Kor 1-4 um das Apostolat des Paulus geht, ist klar herausgestellt von N. A. Dahl, Paul and the Church at Corinth according to 1 Cor 1,10-4,21, in: Christian History and Interpretation. Studies presented to J. Knox, 1967, S.313-335.

Es gilt jedoch im 1 Kor deutlich zu unterscheiden zwischen der Argumentation in Kap.1-4 bzw. 9, wo Paulus auf mündliche Berichte der Chloeleute eingeht, und derjenigen im Rest des Briefes, wo Paulus auf andere Gerüchte und auf den von den Korinthern geschriebenen Brief antwortet. Die in dem Brief von den Korinthern angeschnittenen Probleme sind kaum vom Verhalten der gegnerischen Apostel beeinflußt.

[5] Richtig hat Georgi, a.a.O. passim, die Gegner des Paulus in den größeren Zusammenhang der religiösen Propaganda in der Spätantike hineingestellt. Doch bedarf seine These, daß die Gegner wie die hellenistisch-jüdischen und wie die hellenistisch-heidnischen Missionare als θεῖοι ἄνδρες auftraten, der Präzisierung. Bedenkenlos kann man die Bezeichnung „θεῖος ἀνήρ" für die Gegner des Paulus nur dann verwenden, wenn man, wie es H. Windisch, Paulus und Christus, UNT 24, 1934, und L. Bieler ΘΕΙΟΣ ΑΝΗΡ, Bd I, 1935, Bd II, 1936, bewußt tun, „θεῖος ἀνήρ" als umfassende Bezeichnung für jeden mit außerordentlichen Fähigkeiten ausgestatteten „heiligen Menschen" versteht. Wenn man jedoch geschichtlich differenzieren will, etwa zwischen dem jüdischen ἄνθρωπος θεοῦ und dem hellenistischen θεῖος ἀνήρ, zwischen der literarischen und der nicht-literarischen Gestalt des θεῖος oder auch zwischen dem Typus des Charismatikers, der mit, und dem, der ohne einen ausdrücklichen Anspruch auf θειότης auftrat, dann ist die Lage nicht so eindeutig. Gerade der Anspruch auf θειότης, für historische Gestalten wie Empedokles (DiogL VIII, 62), Apollonius von Tyana (Epist. 44 und 48) und Alexander von Abonuteichos (Luc, Alex 11.39) so klar belegt, läßt sich bei den Gegnern des Paulus nicht nachweisen. Auch die mögliche Tatsache,

die gegnerischen Apostel im Rahmen der frühchristlichen Mission keine Außenseiter waren[6]. Ja, formal unterscheidet sich ihre Vorstellung vom apostolischen Amt kaum von der des Paulus. Das geht schon direkt aus der ersten Antwort des Paulus auf die Frage nach der befähigung des Apostels in 2,17 hervor.

Er gehört nicht zu den Vielen, so sagt Paulus hier, die das Wort Gottes verhökern[7], sondern zu denen, die aus lauterer Gesinnung, aus Gott, vor Gott und in Jesus Christus reden. Paulus stellt sich hier als den wahren Pneumatiker dar, der im Gegensatz zu seinen Gegnern dem Göttlichen nichts Menschliches beimischt. Die drei bestimmenden Merkmale einer apostolischen Rede, daß sie nämlich von Gott inspiriert, von Gottes Urteil bestätigt[8] und „in Christus" ist, finden ihre genaue Parallele in der Weisheitsrede des Paulus 1 Kor 2,6-16. Nach diesem Abschnitt wird die Rede des Pneumatikers direkt vom Geiste eingegeben und ihr Inhalt ist nur am Pneumatischen zu messen; der inspirierende und messende Gottesgeist ist wiederum identisch mit dem Geist Christi. Es sind dieselben Kriterien, die auch die Gegner an Paulus anlegen. Paulus antwortet in 2 Kor 2,17 präzise auf den Vorwurf der Gegner, daß er nicht Pneumatiker sei und Christus nicht durch ihn rede, und dreht zugleich den Spieß um: die anderen sind keine echten Pneumatiker.

Worin der grundsätzliche Unterschied zwischen ihm und seinen Gegnern besteht, verdeutlicht Paulus in *3,1-3* exemplarisch an dem Brauch, durch den er sich formal von den anderen Aposteln unterscheidet: Die anderen Apostel brauchen Empfehlungsbriefe, um sich zu legitimieren, er aber hat sie nicht nötig, denn sein Empfehlungsbrief ist die Gemeinde selbst.

Der Gedanke, daß die Existenz der Gemeinde die Legitimation seines Apostolates ist, begegnet bei Paulus auch in 1 Kor 9,2 und 2 Kor 10,11ff. Beide Male weist der Apostel hin auf sein ἔργον.

---

daß die Gegner eine Christustradition vertraten, in der Jesus der hellenistischen θεῖος ἀνήρ -Gestalt sehr ähnlich war, sagt über die eigenen Ansprüche der Gegner wenig aus.

[6] Dazu Georgi, a.a.O. S.205-218; Köster-Robinson, a.a.O. S.44ff.140ff.173ff.

[7] Zum Begriff καπηλεύειν vgl. H. Windisch, 2 Kor, z.St.; ders., Art. καπηλεύω, ThW III, S.606-609; D. Georgi, a.a.O. S.225ff.

[8] κατέναντι θεοῦ ist „eine Berufung auf Gottes prüfendes und bestätigendes Urteil und Zeugnis" (Windisch, 2 Kor, z.St.).

Gerade dieses ἔργον, so geht aus der letztgenannten Stelle hervor, weist ihn als Pneumatiker κατ' ἐξοχήν aus: Es ist nicht nur von Gott selbst gewirkt, es läßt sich auch nur mit einem göttlichen Maßstab messen. Der Apostel weiß sich als δόκιμος, weil er eine himmlische Legitimation besitzt.

Auch in 2 Kor 3,1ff zeigt Paulus, daß seine Legitimation im Gegensatz zu der der Gegner von wahrhaft pneumatischer Art ist. Sein Empfehlungsbrief, so sagt er in V.2, ist nicht auf irdisches Material, sondern ins Herz geschrieben[9]. Dieser Brief gehört nicht zur Sphäre der βλεπόμενα, sondern zu der der μὴ βλεπόμενα (vgl. 4,18), nicht zur sarkischen, sondern zur pneumatischen Welt. Es ist kein Widerspruch dazu, wenn Paulus hinzufügt, daß der ins Herz geschriebene Brief von allen Menschen gekannt und gelesen wird. Es handelt sich ja um eine Offenbarung des Unsichtbaren, um eine pneumatische Demonstration. Die Überlegenheit des wahren Pneumatikers zeigt sich gerade darin, daß sein Werk vor dem Forum der ganzen Welt geschieht, und von diesem anerkannt wird.

Wie es sich mit dem wahren Pneumatikertum verhält, präzisiert Paulus in V.3. Der ins Herz geschriebene Brief offenbart sich als ein Brief, der von Christus mit dem Geist des lebendigen Gottes geschrieben worden ist und bei dem der Apostel die Rolle des Vermittlers spielte. Der Empfehlungsbrief des Paulus ist ein Himmelsbrief[10], der ihn als wahren Pneumatiker und gleichzeitig als Diener Christi ausweist. Wenn Paulus hier Christus als Briefschreiber und den Geist als Schreibmittel darstellt, dann gibt er damit einen traditionellen Gedanken bildlich wieder. Der Gedanke, daß die Gründung der Gemeinde sowohl auf Christus als auch auf den Geist zurückgeht, ist, wie wir schon sahen, ein konstitutives Element der paulinischen Tradition[11].

---

[9] In V.2 ist textkritisch nicht mit Sicherheit zu entscheiden, ob es sich um das Herz des Apostels oder um das der Gemeinde handelt.

[10] Daß in V.3 die Vorstellung vom Himmelsbrief vorliegt, wird neuerdings bestritten von Rissi, a.a.O. S. 21; Luz, EvTh 27, S.323 Anm.22; Versteeg, a.a.O. S.247. Die vorgebrachten Argumente sind jedoch nicht durchschlagend.

[11] Vgl. auch 1 Thess 1,5ff; 1 Kor 3,10-17; Röm 15,16ff. Richtig betont Versteeg, a.a.O. S.249 Anm.144 gegen I. Hermann, Kyrios und Pneuma S.28f, daß man hier dem bildhaften Charakter der Aussage Rechnung tragen soll und somit nicht aus der Tatsache, daß πνεύματι hier dat. instr. ist, all-

Mit dieser Tradition, so stellten wir fest, ist der Bundesgedanke eng verknüpft. Ebenso wie Paulus im Römerbrief von der jeremianisch-ezechielischen Tradition des neuen Bundes ausging, so tut er es nun auch hier. Der von Christus mit Pneuma geschriebene Brief, so sagt er, ist geschrieben, nicht auf steinerne Tafeln, sondern auf Tafeln, die bestehen aus fleischlichen Herzen[12]. Paulus nimmt hier offensichtlich Bezug auf Jer 31,33 (38,33 LXX), doch verschärft er die jeremianische Aussage dadurch, daß er in Anlehnung an Ex 31,18; 34,1; Dtn 9,10 das in steinerne Tafeln Geschriebene dem ins Herz Geschriebenen gegenüberstellt und unter Aufnahme von Ez 11,19; 36,26 (vgl. auch Spr 7,3) die als Tafeln vorgestellte Herzen als fleischlich bezeichnet.

Wenn man sieht, daß Paulus hier die auch sonst für ihn grundlegende Tradition aufnimmt, verliert die These, nach der Paulus mit dem Bundesmotiv auf ein entsprechendes Element in der gegnerischen Verkündigung Bezug nimmt, an Wahrscheinlichkeit[13]. Mit dem Hinweis auf die Realität des neuen Bundes antwortet Paulus auf die gegnerische Forderung nach pneumatischer Legitimation. Durch diese Front bekommt das paulinische Evangelium hier eine eigenartige Schärfe. Hier steht Geist gegenüber Geist. Es geht um Die Frage nach der διάκρισις πνευμάτων. Durch ihre Empfehlungsbriefe, so antwortet Paulus, weisen sich die Gegner nicht als Pneumatiker, sondern als Gesetzesdiener, als Diener des alten Bundes aus. Der alte Bund ist ja gekennzeichnet durch die Gespaltenheit von Innen und Außen. Das Dokument des alten Bundes ist das außerhalb vom Menschen befindliche, in tote Materie geschriebene Gesetz. Bedeutet der neue Bund die Aufhebung dieser Gespaltenheit durch das Werk Christi und die Gabe des Geistes, so kann sein Dokument nur die im Glauben und in der Liebe lebendige Gemeinde sein[14]. Die Empfehlungsbriefe

gemein folgern darf, daß Pneuma bei Paulus ein „Funktionsbegriff" sei. Vgl. gegen Hermanns Interpretation von 2 Kor 3 auch Käsemann, Paul. Pers., S.256.

[12] Textkritisch lassen sich Änderungen an der Lesart ἐν πλαξὶν καρδίαις σαρκίναις nicht rechtfertigen.

[13] Gegen S. Schulz, Die Decke des Mose, ZNW 49, 1958, S.1-30; Georgi, a.a.O. S.252ff; Rissi, a.a.O. S.23f; Versteeg, S.256ff.

[14] Vgl. E. Käsemann, Paul. Persp. S.255: „Die christliche Gemeinde ist mit ihren Gliedern die eschatologische Urkunde, welche die Mosetora ablöste".

der Gegner dokumentieren, daß sie noch in der todbringenden Gespaltenheit unter der Herrschaft des Gesetzes leben. Der Empfehlungsbrief des Paulus dagegen dokumentiert, daß er ein Bote ist im Dienst des lebendigen Gottes.

In *V.4-6* bringt Paulus diese Gedanken in einer formelhaft zugespitzten Form. In Bezug auf die Frage nach seiner Befähigung kann er vor Gott bestehen, weil seine Befähigung nicht die eigene, sondern eine von Gott verliehene ist. Gott hat ihn bevollmächtigt zum Diener der καινὴ διαθήκη. Nich das Gramma, sondern das Pneuma beherrscht seinen Dienst. „Denn das Gramma tötet, das Pneuma aber macht lebendig". Wenn Paulus hier in Anlehnung an Jer 31 (38LXX),31 von einer καινὴ διαθήκη redet, so denkt er dabei weniger an die neue Heilsverfügung oder Heilsordnung, als vielmehr – das geht aus dem unmittelbaren Kontext hervor – an die Urkunde oder das Dokument dieser Verfügung, d.h. konkret: an die Realität der christlichen Gemeinde[15]. Die lebendige Gemeinde dokumentiert für Paulus, daß im Bereich seines Dienstes die Herrschaft des Grammas, die todbringende Spaltung von Innen und Außen aufgehoben ist. Sie ist sein pneumatischer Empfehlungsbrief[16].

In *V.7-18* entfaltet Paulus das Gesagte midraschartig an Hand von Ex 34,29-35[17]. Aus der Exodusstelle, so argumentiert er zunächst in V.7-12, ist zu entnehmen, daß das Amt des Mose, der Dienst des Grammas, an der göttlichen Doxa teilhatte. Dieser Dienst aber war ein Dienst der Verurteilung und des Todes. Wie der ganze Dienst der Welt des Vergänglichen angehörte, so war auch ihre Doxa nur eine vergehende. Wenn aber schon dieser Dienst Doxa besaß, so folgert Paulus durch einen Schluß a minori ad maius, wie überragend wird dann die Doxa sein, die dem eschatologischen Dienst des Geistes, dem Dienst der Gerechtigkeit zuteil wird.

Von dem verschiedenen Maße, in dem die Diener der beiden

---

[15] Mit Windisch, a.a.O. z.St.; Käsemann, a.a.O. S.255f; anders Behm, Der Begriff διαθήκη, S.49ff; Lohmeyer, Diatheke, S.129ff.

[16] Zur Pneuma-Gramma-Antithese s. oben S. 109ff und 121ff.

[17] Gegen die von S. Schulz, a.a.O. und D. Georgi, a.a.O. S.274ff verteidigte These, Paulus nehme hier kritisch eine gegnerische Vorlage auf s. vor allem W. C. van Unnik, „With unveiled face", an exegesis of 2 Cor 3,12-18, Nov Test 6, 1963, S.153-169.

Bünde an der Doxa teilhaben, so argumentiert Paulus in V.12-18 weiter, ist auch ihr Verhalten geprägt. Nach dem Exodustext legte Mose eine Hülle auf sein Gesicht. Das kann nach Paulus nichts anderes bedeuten, als daß er vor den Israeliten verdecken wollte, daß die Glorie seines Dienstes eine vergängliche war. Heimlichkeit und Verfälschung der Wahrheit kennzeichnen den Diener des Grammas[18]. Entsprechend der Hoffnung auf die unvergängliche Glorie dagegen wandelt der Diener des Pneumas mit enthülltem Haupt, in παρρησία[19]. Offenheit und Freimut in Bezug auf die Wahrheit kennzeichnen diesen Dienst.

Wie mit den Dienern verhält es sich auch mit den Gemeinden der beiden Bünde. Als Mose sein Gesicht verhüllte, wurden die Herzen der Israeliten verstockt[20]. Diese Situation ist unverändert bis in die Gegenwart: Wenn in der Synagoge das Gesetz gelesen wird, liegt eine Hülle sowohl über der Schrift als auch über den Herzen der Juden. Kennzeichnend für den alten Bund ist die Gespaltenheit zwischen Mose und Israel, zwischen der Proklamation des Gesetzes und seiner Befolgung. Der Nomos bleibt hier außerhalb des menschlichen Herzens, er bleibt geschriebener Buchstabe und ist als solcher παλαιὰ διαϑήκη, Urkunde des Vergangenen.

Anders dagegen die Gemeinde, wo Christus und der Geist herrschen. Wenn Israel sich zum Herrn bekehrt, so liest Paulus aus Ex 34,34, wird die Hülle weggenommen. Seit seiner Auferweckung aber ist der Herr lebendigmachender Geist. Wo der Herr als Geist wirkt, herrscht Freiheit. Die christliche Gemeinde ist das Dokument dieser Freiheit: Sie spiegelt mit enthülltem Haupt die Doxa des Herrn wider. Vor aller Welt ist sichtbar, daß diese Gemeinde an der Neuschöpfung teilhat, die von dem pneuma-

---

[18] Die Gründe, die Rissi, a.a.O. S.30ff, gegen die übliche Interpretation, nach der Paulus Mose hier eine betrügerische Absicht zuschreibt, anführt, sind nicht tragfähig.

[19] W. C. van Unnik, De Semitische achtergrond van ΠΑΡΡΗΣΙΑ in het Nieuwe Testament, MAA, NR 25,11, 1962, hat nachgewiesen, daß der aramäische Ausdruck ראש גלא bzw. גלא אפין dem griechischen χρᾶσϑαι παρρησίᾳ äquivalent ist; vgl. ders., The Christian's Freedom of Speech in the New Testament, T. W. Manson Memorial Lecture, BJRL 44, 1962, S.466-488, dort S.474; ders., NovTest 6, S.160f.

[20] Zu dem Zusammenhang von Herzensverstockung und Bundesbruch vgl. oben S. 108.

tischen Herrn ausgeht und die die Gleichförmigkeit mit ihm, der das Ebenbild Gottes ist, zum Ziele hat[21].

Sprach Paulus in V.1ff von der Gemeinde als einem für alle Welt sichtbaren, durch Christus im Geist geschriebenen Brief, so heißt es in V.16ff, daß die vom pneumatischen Herrn ausgehende himmlische Doxa sich für alle Welt sichtbar auf dem Angesicht der Gemeinde widerspiegelt. Die Pointe ist beide Male dieselbe: Das Dokument der διακονία τοῦ πνεύματος ist nicht außerhalb vom Menschen befindlich, die Gemeinde selbst ist die καινὴ διαθήκη, die Urkunde des eschatologischen Heils[22]. Paulus trifft hier genau die Intention der jeremianischen Verheißung: In dem neuen Bund ist die Spaltung von Innen und Außen dadurch aufgehoben, daß Gott seine Willensverfügung statt auf steinerne Tafeln jetzt in die Herzen schreibt. Damit ist zugleich die Spaltung zwischen Lehrenden und Lernenden in der Gemeinde aufgehoben. War der alte Bund gekennzeichnet durch eine unüberbrückbare Gespaltenheit zwischen Mose und Israel, so schließt Paulus betont die Diener und die Gemeinde des neuen Bundes zusammen in dem ἡμεῖς δὲ πάντες.

Was Paulus aber in V.1ff in Anlehnung an die alttestamentliche Bundestradition formulierte, das beschreibt er in V.16-18 vor-

[21] Zur Übersetzung von κατοπτρίζεσθαι mit „widerspiegeln" vgl. J. Dupont, Le chrétien, miroir de la gloire divine d'après 2 Cor 3,18, RB 56, 1949, S.392-411; W. C. van Unnik, NovTest 6, S.166f; anders: N. Hugedé, La métaphore du miroir dans les Epîtres de saint Paul aux Corinthiens, Bibliothèque théologique, 1957, passim; A. Feuillet, Le Christ Sagesse de Dieu, S.137ff u.a.

[22] Vgl. G. Ebeling, Art. „Geist und Buchstabe", RGG³ II, dort Sp.1291: „Der Gedanke an ein geschriebenes NT – die neue „Schrift" ist die Gemeinde (2 Kor 3,3), die Christen stehen jetzt da, wo Moses seinen Ort hatte (2 Kor 3,16.18) – liegt Paulus völlig fern."

Die spezielle hermeneutische Frage, wie die heilige Schrift auszulegen sei, berührt Paulus in 2 Kor 3 nur indirekt. Gegen Rissi, a.a.O. S.34ff, ist zu sagen: Es geht in 2 Kor 3 nicht darum, daß „in Christus" der Sinn des Alten Testaments offenbar wird, in dem Sinne, daß Christus als das Telos des alten Bundes erkannt wird. Als παλαιὰ διαθήκη bezeichnet Paulus die Schrift als Gramma, in ihrer für die christliche Gemeinde zur Vergangenheit gehörenden Funktion. Man kann nicht unter Hinweis auf Abraham behaupten, nach Paulus werde das Heil auch im „alten Bund" erfahren, denn für Paulus gehört Abraham gerade zum neuen Bund. Zum Geschichtsverständnis in 2 Kor 3 vgl. Luz, EvTh 27, S.319ff; Ph. Vielhauer, Paulus und das Alte Testament, S.46ff.

wiegend in Schöpfungskategorien. Zentral steht hier der Begriff ἐλευθερία. Wie eng für den Juden Paulus „Bund" und „Freiheit" zusammengehören, haben wir bei der Exegese von Gal 4,21-31 gezeigt. Von der jüdischen Tradition her, so sahen wir dort, versteht Paulus „Freiheit" als den vollen Genuß des Erbbesitzes. Ähnlich wie in Röm 8 beschreibt Paulus nun auch in 2 Kor 3 den Erbbesitz als Teilhabe an der eschatologischen Neuschöpfung. Die Freiheit bedeutet die Wiedererlangung der paradiesischen Doxa und der Gottebenbildlichkeit[23].

In diesen Zusammenhang paßt es, daß Paulus Christus in V.17f als Pneuma und als Bild Gottes betrachtet. Die Frage, warum Paulus, wenn er den Zusammenhang zwischen dem Herrn und der Freiheit darstellen will, zunächst vom Geist reden muß, läßt sich dahingehend beantworten, daß er hier das Werk Christi als eschatologische Neuschöpfung qualifizieren will. Es liegt hier derselbe Vorstellungskomplex vor wie in 1 Kor 15,45ff. Paulus beschreibt hier den Kyrios in seiner eschatologischen Funktion als den Auferstandenen, der in der Kraft des Geistes die Schöpfung zu einem Leben in Herrlichkeit verwandelt.

Es wird hier wieder einmal ein enthusiastisches Element sichtbar. Das, was Paulus in 1 Kor 15 als noch zukünftig beschreibt, die Teilhabe am Auferstehungsleben Christi und an der Herrlichkeit der βασιλεία τοῦ θεοῦ, stellt er hier als eine zwar noch nicht vollendete, aber doch schon vor aller Welt sichtbare gegenwärtige Realität dar. Paulus hebt auf diese Weise die kosmischen Dimensionen seines Dienstes hervor: Sein Evangelium steht im Zeichen der endzeitlichen Totenauferweckung und der Verwandlung der Welt.

Es mag sein, daß Paulus damit insbesondere auf die Tradition der hellenistischen Gemeinde zurückgreift. Deutlich ist aber auch hier, daß der „Enthusiasmus" im Dienst eines genuin paulinischen Anliegens steht. Paulus schlägt hier einerseits die Gegner mit ihren eigenen Waffen. Genau ihrer Forderung nach pneumatischer Legitimation entsprechend, stellt er die pneumatische Kraft und

---

[23] Eine Klammer zwischen dem Begriff der Freiheit und dem der Gottebenbildlichkeit bildet für Paulus die Vorstellung vom enthüllten Haupt. Einerseits verwendet er den Begriff ἐλευθερία hier als Wechselbegriff für παρρησία das wiederum für das aramäische בריש גלי steht (vgl. oben Anm.19). Andererseits ist das unverhüllte Haupt für Paulus auch Ausdruck der Gottebenbildlichkeit (dazu oben Kap.3 Anm.91).

die unendliche Herrlichkeit seines Dienstes dar. Andererseits aber markiert er scharf die verschiedenen Fronten. Wenn der Dienst des Geistes mit dem Dienst des Totenauferweckers identisch ist, dann ist hier kein Platz für menschliche Leistungen. Als Macht des Herrn, der aus dem Nichts schafft, schließt das Pneuma in jeder Hinsicht das Gramma aus. Wer, wie es mit den Gegnern der Fall ist, das Pneuma in den Dienst der eigenen Verherrlichung stellt, beweist damit, daß er erneut unter die versklavende Macht des Gesetzes geraten ist. Der Kampf zwischen Gramma und Pneuma ist auch innerhalb der christlichen Gemeinde zu führen. Die Freiheit im Geist muß sich als Freiheit vom Gesetz bewähren. Die Gerechtigkeit im Geist muß sich als Rechtfertigung des Gottlosen bewähren. „Geist und Buchstabe treten also im Zeichen der Rechtfertigungsbotschaft auseinander. Sie ist das Kriterium zur Unterscheidung der Geister und Mächte. Von ihr her trennen sich auch der Alte und der Neue Bund und deren jeweilige Diener"[24].

Von hier aus zieht Paulus in *4,1-6* das Fazit. Seine Diakonia ist die Verkündigung Christi als des Herrn. Christus aber ist das Ebenbild Gottes, auf seinem Angesicht strahlt die Herrlichkeit Gottes. Die eschatologische Lichtschöpfung, die Aufhebung der Finsternis, die Wegnahme der Hülle von den Herzen, verbreitet sich von dem Apostel aus über die Erde. Wo angesichts dieses Evangeliums noch eine Hülle ist, kann nur die die Sinne verblendende Wirkung des Satans im Spiele sein. Offenbarung der Wahrheit, Offenheit vor Gott und den Menschen, nicht Heimlichkeit und Verfälschung kennzeichnen den in diesem Lichte wandelnden Diener. Nur in diesem Lichte ist eine Selbstempfehlung des Apostels legitim.

Rückblickend ist zu sagen: Das paulinische Evangelium in 2 Kor 3 ist sowohl in seinem traditionellen als auch in seinem spezifisch paulinischen Gehalt wesentlich dasselbe wie das im Galater- und Römerbrief. Von der Tradition vorgeprägt ist die Weise, in der Paulus das Heil als Werk Christi und des Geistes bzw. als Werk des Pneuma-Christus beschreibt und wie er es in Bundes- und Schöpfungskategorien als Gerechtigkeit, Freiheit und als gottebenbildliche Doxa entfaltet. Typische paulinisch aber ist die pole-

[24] So Käsemann, Paul. Persp., S.261f.

mische Zuspitzung dieser Gedanken. Von der Auferstehung Christi her interpretiert Paulus das Wirken des Geistes konsequent als ein Wirken χωρὶς νόμου. Danach, ob die totenerweckende Macht Gottes, die jegliche menschliche Leistung ausschließt, sichtbar wird, beurteilt Paulus auch die pneumatischen Wirkungen innerhalb der Gemeinde.

ERGEBNIS

Aus unserem Forschungsüberblick ergaben sich als zentrale Probleme der paulinischen Pneumatologie die Fragen, in welchem Sinne Paulus dem Geist eine Heilsbedeutung zuschreibt, wie sich für ihn das Werk des Geistes zum Werk Christi verhält und wie in diesen Fragen das Verhältnis zwischen Paulus und seiner Tradition zu sehen ist. Die Hauptergebnisse können wir folgendermaßen zusammenfassen:

Paulus teilt mit seiner Tradition ein festes Verkündigungsschema, in dem das Heil sowohl als Werk Christi wie auch als Werk des Geistes dargestellt wird, wobei die Zeit des gegenwärtigen Heils einerseits in Gegensatz zur vergangenen Zeit des Unheils gesetzt wird und die Gegenwart andererseits auf die Zeit der zukünftigen Vollendung bezogen wird.

Als Werk des Geistes kommt dabei das ganze Leben der Gläubigen in Betracht, ihre Reinigung, Heiligung und Rechtfertigung, ihr Leben in Sohnschaft, Freiheit und Gehorsam und ihre Verwandlung zur Gottebenbildlichkeit und Herrlichkeit. Gegenüber herrschenden Meinungen in der neueren Forschung ist dabei zu betonen: a) Nicht nur die allgemeine Anschauung, nach der der Geist das Heil bewirkt, sondern auch die spezielle Anschauung vom Geist als Urheber der Rechtfertigung und der Sohnschaft ist in der vorpaulinischen Gemeinde gut denkbar. b) Die Vorstellung vom Geist als Heilsfaktor an sich ist nicht erst durch die christologische Bindung des Geistes bedingt. Die einzelnen Vorstellungen von der Heilsbedeutung des Geistes – von der Reinigung bis zur Verwandlung – lassen sich weitgehend von der alttestamentlich-jüdischen Pneumatradition her begreifen. c) Es gibt keine sicheren Anhaltspunkte für die These, daß in der Frage nach der Heilsbedeutung des Geistes zwischen der palästinensischen und der hellenistischen Gemeinde vor Paulus ein grundsätzlicher Unterschied bestand. In dieser Frage – das zeigt auch der Vergleich zwischen dem palästinensischen und dem hellenistischen Judentum – ist der Faktor der Hellenisierung äußerst gering zu veranschlagen.

Das Wirken des Geistes wurde in der christlichen Gemeinde von Anfang an in Beziehung zum Wirken Christi gesetzt. Über das Verhältnis von Christus und dem Geist als Heilsfaktoren zueinander bestanden vor Paulus verschiedene Auffassungen. Man konnte – sei es, daß Christus vor allem in seiner Heilsbedeutung als Gekreuzigter oder daß er als Auferstandener gesehen wurde – das Werk Christi und das des Geistes sowohl sachlich voneinander unterscheiden als es auch zusammenfallen lassen.

Die typisch paulinische Theologie wird dort sichtbar, wo diese Gedanken – und zwar viel stärker im Kampf gegen den Nomismus als gegen das naturhafte bzw. mystische Heilsverständnis – polemisch zugespitzt werden. Sah die Gemeinde vor Paulus die gegenwärtige Zeit des Heils in Antithese zur vergangenen Zeit des Unheils, so versteht Paulus grundsätzlicher als die Tradition vor ihm die Zeit des Unheils als Zeit der Herrschaft des Gesetzes.

Damit hängt nun zusammen, daß Paulus grundsätzlicher als seine Tradition die Pneumatologie an die Christologie bindet. Unabhängig davon, ob er Christus als den Auferstandenen oder als den Gekreuzigten schildert, das Werk des Geistes fällt für ihn ausnahmslos mit dem Werk Christi zusammen. Von der Christologie her versteht er das Werk des Geistes radikal als Schöpfung aus dem Nichts, und er bestimmt die Gerechtigkeit im Geist als Glaubensgerechtigkeit. Erst hier, wo in dieser antithetischen Weise die Gerechtigkeit im Geist als Glaubensgerechtigkeit verstanden ist, sind die Grenzen des jüdischen Glaubens und des jüdischen Vorstellungshorizontes grundsätzlich überschritten.

Mit diesem radikalen Gnadenverständnis wiederum hängt es zusammen, daß Paulus die in der Tradition angelegten kosmischen Dimensionen des Heils stark hervorhebt. Ob er wie im Galaterbrief die deuterojesajanische oder ob er wie im Römer- und 2 Korintherbrief die jeremianisch-ezechielische Traditionslinie aufnimmt, immer versteht er die Erlösung im Geist als ein universales Geschehen, das nicht nur die nationalen und sozialen Grenzen durchbricht, sondern das auch die Substanz des Kosmos selber betrifft.

Wenn man die komplizierten traditionsgeschichtlichen Voraussetzungen der paulinischen Pneumatologie betrachtet, wird es verständlich, daß es der Forschung immer schwer fiel, der Geist-

145

lehre einen festen Platz innerhalb des Systemganzen der paulinischen Theologie zuzuweisen. Dem in der neueren Forschung verbreiteten Versuch, die Geistlehre in den Locus „de applicatione salutis" unterzubringen, ist entgegenzuhalten: Das Nebeneinander und das Ineinander von Christus und dem Geist ist weder bei Paulus noch in seiner Tradition von der Frage nach der „Übertragung des Heils" bestimmt. Der Geist erscheint nicht bloß als „subjektiver", sondern auch als „realer" Heilsfaktor. Gegenüber dieser Auffassung hat die These Gunkels ein gewisses Recht, die Pneumatologie bilde neben der Christologie eine selbständige, jedoch im Grunde überflüssige Heilslehre. Doch kann auch diese Auskunft nicht befriedigen. Die Pneumatologie und die Christologie sind bei Paulus untrennbar miteinander verquickt. Gilt einerseits: „Vom Geist kann Paulus nur sprechen, indem er Sendung, Weg und Werk Christi umschreibt"[1], so hat auch das Umgekehrte seine Berechtigung: Die paulinische Christologie und Soteriologie sind ohne die Pneumatologie undenkbar. Vom Werk des Auferstandenen kann Paulus mit der Tradition grundsätzlich nur reden, indem er das Werk des Geistes heranzieht, weil für ihn Christus durch seine Auferstehung zum Pneuma geworden ist. Dadurch daß Paulus das Werk des Geistes ebenso grundsätzlich in das des Gekreuzigten einbezieht, qualifiziert er nicht nur das Werk des Geistes in neuer Weise, sondern er ist auch in der Lage, radikaler als seine Tradition die Paradoxie des Kreuzes zu schildern.

---

[1] so G. Bornkamm, Paulus, S.165.

146

ABKÜRZUNGSVERZEICHNIS

Die Abkürzungen folgen dem „Verzeichnis der Abkürzungen" in „Die Religion in Geschichte und Gegenwart" (RGG), 3.Aufl., 1957-62.

Außerdem erscheinen folgende Abkürzungen:

BEThL   Bibliotheca Ephemeridum Theologicarum Lovaniensium

BNTC   Black's New Testament Commentaries

EHPhR   Études d'Histoire et de Philosophie Religieuses

EKK   Evangelisch-Katholischer Kommentar zum Neuen Testament

RdQ   Revue de Qumran

SANT   Studien zum Alten und Neuen Testament

SBM   Stuttgarter Biblische Monographien

SBS   Stuttgarter Bibelstudien

SNTSM   Society for New Testament Studies: Monograph Series

SUNT   Studien zur Umwelt des Neuen Testaments

WMANT   Wissenschaftliche Monographien zum Alten und Neuen Testament

Zu den Abkürzungen der außerbiblischen Quellenschriften ist das Verzeichnis des ThWb zu vergleichen.

AUTORENREGISTER

Asting,, R. 28, 84

Baltzer, D. 42, 44
Balz, H. R. 127
Bammel, E. 93
Barrett, C. K. 81, 124, 133
Barth, K. 109
Barthélemy, D. 28
Battifol, P. 69
Bauer, W. 27, 87, 89, 116, 127
Bauernfeind, O. 94
Beck, I. 122
Becker, J. 54, 57, 59, 62
Beer, G. 96
Behm, J. 93, 103, 116, 138
Berger, K. 80, 100, 108
Berger, K. 114f
Betz, H. D. 133
Betz, O. 57, 62, 78
de Beus, Ch. 128
Bieder, W. 102, 133
Bieler, L. 134
(H. L. Strack-)Billerbeck, P. 71f,
    96, 104
Blank, J. 80, 94, 98, 101, 118
Bläser, P. 21
Bornkamm, G. 67, 107, 109f, 111,
    113f, 119f, 146
Bousset, W. 4-6
Brandenburger, E. 20-22, 50, 53,
    56, 61, 65, 67, 69, 97, 104, 113,
    119
Braumann, G. 30, 84
Braun, H. 56
Brun, L. 90
Buber, M. 35
Büchsel, F. 6f

Bultmann, R. 5f, 9-11, 21-23, 27,
    74, 77, 118f, 124
Burchard, Chr. 69

Carmignac, J. 58
Carrington, Ph. 26, 32, 99
Causse, A. 104
Cerfaux, L. 16, 24, 34
Chevallier, M. A. 21, 25, 54, 80
Colson, F. H. 68
Conzelmann, H. 19f, 25, 28, 31, 79,
    81, 84, 113, 120
Dahl, N. A. 22, 89, 119, 134
Dalman, G. 70
Daube, D. 96
Davies, W. D. 9, 55
Delling, G. 75f, 96f
Dibelius, M. 116, 118, 124
Dietzel, A. 60
Dietzfelbinger, C. 91
Dinkler, E. 27f
Dodd, C. H. 28
van Dülmen, A. 29, 123
Dupont, J. 140

Ebeling, G. 140
Eckert, J. 85
Eichrodt, W. 96
Eisler, R. 97
Elliger, K. 45, 49
Eltester, F-W. 66

Feuillet, A. 81, 140
Flückiger, F. 109
Foerster, W. 62, 71
Fohrer, G. 36, 44f, 48
Friedrich, G. 133

94